Hauptmann | Bahnwärter Thiel

Reclam XL | Text und Kontext

Gerhart Hauptmann
Bahnwärter Thiel

Novellistische Studie

Herausgegeben von Max Kämper

Reclam

Der Text dieser Ausgabe ist seiten- und zeilengleich
mit der Ausgabe der Universal-Bibliothek Nr. 6617
(Neuausgabe 2013).

Zu Hauptmanns Erzählung *Bahnwärter Thiel* gibt es in Reclams
Universal-Bibliothek:
– einen *Lektüreschlüssel für Schülerinnen und Schüler* (Nr. 15314)
– *Erläuterungen und Dokumente* (Nr. 8125)
– *Literaturwissen für Schule und Studium. Gerhart Hauptmann*
  (Nr. 15215)
– eine Interpretation in: *Erzählungen und Novellen des 19. Jahr-
  hunderts* (Nr. 8414)

E-Book-Ausgaben finden Sie auf unserer Website
unter www.reclam.de/e-book

Reclam XL | Text und Kontext | Nr. 19154
Alle Rechte vorbehalten
© 2014 Philipp Reclam jun. GmbH & Co. KG, Stuttgart
Gestaltung: Cornelia Feyll, Friedrich Forssman
Satz: pagina GmbH, Tübingen
Druck und Bindung: Reclam, Ditzingen. Printed in Germany 2014
RECLAM ist eine eingetragene Marke
der Philipp Reclam jun. GmbH & Co. KG, Stuttgart
ISBN 978-3-15-019154-5

Auch als E-Book erhältlich

www.reclam.de

Die Texte von Reclam XL sind seiten- und zeilengleich
mit den Texten der Universal-Bibliothek.
Die Reihe bietet neben dem Text Worterläuterungen
in Form von Fußnoten und Sacherläuterungen in Form
von Anmerkungen im Anhang, auf die am Rand
mit Pfeilen (↗) verwiesen wird.

I

Allsonntäglich saß der Bahnwärter Thiel in der Kirche zu Neu-Zittau, ausgenommen die Tage, an denen er Dienst hatte oder krank war und zu Bette lag. Im Verlaufe von zehn Jahren war er zwei Mal krank gewesen; das eine Mal infolge eines vom Tender einer Maschine während des Vorbeifahrens herabgefallenen Stückes Kohle, welches ihn getroffen und mit zerschmettertem Bein in den Bahngraben geschleudert hatte; das andere Mal einer Weinflasche wegen, die aus dem vorüberrasenden Schnellzuge mitten auf seine Brust geflogen war. Außer diesen beiden Unglücksfällen hatte nichts vermocht, ihn, sobald er frei war, von der Kirche fernzuhalten.

Die ersten fünf Jahre hatte er den Weg von Schön-Schornstein, einer Kolonie an der Spree, herüber nach Neu-Zittau allein machen müssen. Eines schönen Tages war er dann in Begleitung eines schmächtigen und kränklich aussehenden Frauenzimmers erschienen, die, wie die Leute meinten, zu seiner herkulischen Gestalt wenig gepasst hatte. Und wiederum eines schönen Sonntagnachmittags reichte er dieser selben Person am Altare der Kirche feierlich die Hand zum Bunde fürs Leben. Zwei Jahre nun saß das junge, zarte Weib ihm zur Seite in der Kirchenbank; zwei Jahre blickte ihr hohlwangiges, feines Gesicht neben seinem vom Wetter gebräunten in das uralte Gesangbuch –; und plötzlich saß der Bahnwärter wieder allein wie zuvor.

An einem der vorangegangenen Wochentage hatte die Sterbeglocke geläutet; das war das Ganze.

---

2 **Bahnwärter:** Eisenbahnbeamter, verantwortlich für einen Streckenabschnitt und die Bedienung von Schranken und Signalen | 6 **Tender einer Maschine:** direkt an eine Dampflokomotive angekoppelter Begleitwagen für Kohle und Wasser

An dem Wärter hatte man, wie die Leute versicherten, kaum eine Veränderung wahrgenommen. Die Knöpfe seiner sauberen Sonntagsuniform waren so blank geputzt als je zuvor, seine roten Haare so wohl geölt und militärisch gescheitelt wie immer, nur dass er den breiten, behaarten Nacken ein wenig gesenkt trug und noch eifriger der Predigt lauschte oder sang, als er es früher getan hatte. Es war die allgemeine Ansicht, dass ihm der Tod seiner Frau nicht sehr nahegegangen sei; und diese Ansicht erhielt eine Bekräftigung, als sich Thiel nach Verlauf eines Jahres zum zweiten Male, und zwar mit einem dicken und starken Frauenzimmer, einer Kuhmagd aus Alte-Grund, verheiratete.

Auch der Pastor gestattete sich, als Thiel die Trauung anzumelden kam, einige Bedenken zu äußern:

»Ihr wollt also schon wieder heiraten?«

»Mit der Toten kann ich nicht wirtschaften, Herr Prediger!«

»Nun ja wohl. Aber ich meine – Ihr eilt ein wenig.«

»Der Junge geht mir drauf, Herr Prediger.«

Thiels Frau war im Wochenbett gestorben, und der Junge, welchen sie zur Welt gebracht, lebte und hatte den Namen Tobias erhalten.

»Ach so, der Junge«, sagte der Geistliche und machte eine Bewegung, die deutlich zeigte, dass er sich des Kleinen erst jetzt erinnere. »Das ist etwas andres – wo habt Ihr ihn denn untergebracht, während Ihr im Dienst seid?«

Thiel erzählte nun, wie er Tobias einer alten Frau übergeben, die ihn einmal beinahe habe verbrennen lassen, während er ein anderes Mal von ihrem Schoß auf die Erde gekugelt sei, ohne glücklicherweise mehr als eine große Beule davonzutragen. Das könne nicht so weitergehen, meinte er, zudem da der Junge, schwächlich

---

17 **wirtschaften:** den Haushalt führen | 21 **Wochenbett:** sechswöchige Erholungsphase nach einer Geburt

wie er sei, eine ganz besondre Pflege benötige. Deswegen und ferner, weil er der Verstorbenen in die Hand gelobt, für die Wohlfahrt des Jungen zu jeder Zeit ausgiebig Sorge zu tragen, habe er sich zu dem Schritte entschlossen. –

Gegen das neue Paar, welches nun allsonntäglich zur Kirche kam, hatten die Leute äußerlich durchaus nichts einzuwenden. Die frühere Kuhmagd schien für den Wärter wie geschaffen. Sie war kaum einen halben Kopf kleiner als er und übertraf ihn an Gliederfülle. Auch war ihr Gesicht ganz so grob geschnitten wie das seine, nur dass ihm im Gegensatz zu dem des Wärters die Seele abging.

Wenn Thiel den Wunsch gehegt hatte, in seiner zweiten Frau eine unverwüstliche Arbeiterin, eine musterhafte Wirtschafterin zu haben, so war dieser Wunsch in überraschender Weise in Erfüllung gegangen. Drei Dinge jedoch hatte er, ohne es zu wissen, mit seiner Frau in Kauf genommen: eine harte, herrschsüchtige Gemütsart, Zanksucht und brutale Leidenschaftlichkeit. Nach Verlauf eines halben Jahres war es ortsbekannt, wer in dem Häuschen des Wärters das Regiment führte. Man bedauerte den Wärter.

Es sei ein Glück für »das Mensch«, dass sie so ein gutes Schaf wie den Thiel zum Manne bekommen habe, äußerten die aufgebrachten Ehemänner; es gäbe welche, bei denen sie greulich anlaufen würde. So ein »Tier« müsse doch kirre zu machen sein, meinten sie, und wenn es nicht anders ginge denn mit Schlägen. Durchgewalkt müsse sie werden, aber dann gleich so, dass es zöge.

Sie durchzuwalken aber war Thiel trotz seiner sehnigen Arme nicht der Mann. Das, worüber sich die Leute ereiferten, schien ihm wenig Kopfzerbrechen zu machen. Die endlosen Predigten seiner Frau ließ er ge-

22 **das Regiment führte:** herrschte, den Ton angab | 24 »**das Mensch«:** abwertende Bezeichnung, zumeist für Frauen | 27 **anlaufen:** auf Widerstand stoßen | 28 **kirre:** zahm, gefügig | 29 **Durchgewalkt:** durchgeprügelt

wöhnlich wortlos über sich ergehen, und wenn er einmal antwortete, so stand das schleppende Zeitmaß sowie der leise, kühle Ton seiner Rede in seltsamstem Gegensatz zu dem kreischenden Gekeif seiner Frau. Die Außenwelt schien ihm wenig anhaben zu können: es war, als trüge er etwas in sich, wodurch er alles Böse, was sie ihm antat, reichlich mit Gutem aufgewogen erhielt.

Trotz seines unverwüstlichen Phlegmas hatte er doch Augenblicke, in denen er nicht mit sich spaßen ließ. Es war dies immer anlässlich solcher Dinge, die Tobiaschen betrafen. Sein kindgutes, nachgiebiges Wesen gewann dann einen Anstrich von Festigkeit, dem selbst ein so unzähmbares Gemüt wie das Lenens nicht entgegenzutreten wagte.

Die Augenblicke indes, darin er diese Seite seines Wesens herauskehrte, wurden mit der Zeit immer seltener und verloren sich zuletzt ganz. Ein gewisser leidender Widerstand, den er der Herrschsucht Lenens während des ersten Jahres entgegensetzte, verlor sich ebenfalls im zweiten. Er ging nicht mehr mit der früheren Gleichgültigkeit zum Dienst, nachdem er einen Auftritt mit ihr gehabt, wenn er sie nicht vorher besänftigt hatte. Er ließ sich am Ende nicht selten herab, sie zu bitten, doch wieder gut zu sein. – Nicht wie sonst mehr war ihm sein einsamer Posten inmitten des märkischen Kiefernforstes sein liebster Aufenthalt. Die stillen, hingebenden Gedanken an sein verstorbenes Weib wurden von denen an die Lebende durchkreuzt. Nicht widerwillig, wie die erste Zeit, trat er den Heimweg an, sondern mit leidenschaftlicher Hast, nachdem er vorher oft Stunden und Minuten bis zur Zeit der Ablösung gezählt hatte.

Er, der mit seinem ersten Weibe durch eine mehr vergeistigte Liebe verbunden gewesen war, geriet durch die Macht roher Triebe in die Gewalt seiner zweiten Frau

---

8 **seines … Phlegmas:** seiner Schwerfälligkeit, Gleichgültigkeit | 16 **herauskehrte:** zeigte | 21 **Auftritt:** Streit | 25 **Posten:** Dienstort | 25 **märkischen:** brandenburgischen (zur Mark Brandenburg gehörenden)

und wurde zuletzt in allem fast unbedingt von ihr ab-
hängig. – Zuzeiten empfand er Gewissensbisse über diesen Umschwung der Dinge, und er bedurfte einer An-
zahl außergewöhnlicher Hilfsmittel, um sich darüber
hinwegzuhelfen. So erklärte er sein Wärterhäuschen und
die Bahnstrecke, die er zu besorgen hatte, insgeheim
gleichsam für geheiligtes Land, welches ausschließlich
den Manen der Toten gewidmet sein sollte. Mit Hilfe
von allerhand Vorwänden war es ihm in der Tat bisher
gelungen, seine Frau davon abzuhalten, ihn dahin zu be-
gleiten.

Er hoffte es auch fernerhin tun zu können. Sie hätte
nicht gewusst, welche Richtung sie einschlagen sollte,
um seine »Bude«, deren Nummer sie nicht einmal
kannte, aufzufinden.

Dadurch, dass er die ihm zu Gebote stehende Zeit so-
mit gewissenhaft zwischen die Lebende und die Tote zu
teilen vermochte, beruhigte Thiel sein Gewissen in der
Tat.

Oft freilich und besonders in Augenblicken einsamer
Andacht, wenn er recht innig mit der Verstorbenen ver-
bunden gewesen war, sah er seinen jetzigen Zustand im
Lichte der Wahrheit und empfand davor Ekel.

Hatte er Tagdienst, so beschränkte sich sein geistiger
Verkehr mit der Verstorbenen auf eine Menge lieber Erinnerungen aus der Zeit seines Zusammenlebens mit ihr.
Im Dunkel jedoch, wenn der Schneesturm durch die
Kiefern und über die Strecke raste, in tiefer Mitternacht
beim Scheine seiner Laterne, da wurde das Wärterhäuschen zur Kapelle.

Eine verblichene Photographie der Verstorbenen vor
sich auf dem Tisch, Gesangbuch und Bibel aufgeschla-
gen, las und sang er abwechselnd die lange Nacht hin-
durch, nur von den in Zwischenräumen vorbeitobenden

Bahnzügen unterbrochen, und geriet hierbei in eine Ekstase, die sich zu Gesichten steigerte, in denen er die Tote leibhaftig vor sich sah.

Der Posten, den der Wärter nun schon zehn volle Jahre ununterbrochen innehatte, war aber in seiner Abgelegenheit dazu angetan, seine mystischen Neigungen zu fördern.

Nach allen vier Windrichtungen mindestens durch einen dreiviertelstündigen Weg von jeder menschlichen Wohnung entfernt, lag die Bude inmitten des Forstes dicht neben einem Bahnübergang, dessen Barrieren der Wärter zu bedienen hatte.

Im Sommer vergingen Tage, im Winter Wochen, ohne dass ein menschlicher Fuß, außer denen des Wärters und seines Kollegen, die Strecke passierte. Das Wetter und der Wechsel der Jahreszeiten brachten in ihrer periodischen Wiederkehr fast die einzige Abwechslung in diese Einöde. Die Ereignisse, welche im Übrigen den regelmäßigen Ablauf der Dienstzeit Thiels außer den beiden Unglücksfällen unterbrochen hatten, waren unschwer zu überblicken. Vor vier Jahren war der kaiserliche Extrazug, der den Kaiser nach Breslau gebracht hatte, vorübergejagt. In einer Winternacht hatte der Schnellzug einen Rehbock überfahren. An einem heißen Sommertage hatte Thiel bei seiner Streckenrevision eine verkorkte Weinflasche gefunden, die sich glühend heiß anfasste und deren Inhalt deshalb von ihm für sehr gut gehalten wurde, weil er nach Entfernung des Korkes einer Fontäne gleich herausquoll, also augenscheinlich gegoren war. Diese Flasche, von Thiel in den seichten Rand eines Waldsees gelegt, um abzukühlen, war von dort auf irgendwelche Weise abhanden gekommen, sodass er noch nach Jahren ihren Verlust bedauern musste.

---

11 **Barrieren:** Bahnschranken | 25 **Streckenrevision:** Kontrollgang zur Überprüfung der Bahnstrecke

Einige Zerstreuung vermittelte dem Wärter ein Brunnen dicht hinter seinem Häuschen. Von Zeit zu Zeit nahmen in der Nähe beschäftigte Bahn- oder Telegraphenarbeiter einen Trunk daraus, wobei natürlich ein kurzes Gespräch mit unterlief. Auch der Förster kam zuweilen, um seinen Durst zu löschen.

Tobias entwickelte sich nur langsam; erst gegen Ablauf seines zweiten Lebensjahres lernte er notdürftig sprechen und gehen. Dem Vater bewies er eine ganz besondere Zuneigung. Wie er verständiger wurde, erwachte auch die alte Liebe des Vaters wieder. In dem Maße, wie diese zunahm, verringerte sich die Liebe der Stiefmutter zu Tobias und schlug sogar in unverkennbare Abneigung um, als Lene nach Verlauf eines neuen Jahres ebenfalls einen Jungen gebar.

Von da ab begann für Tobias eine schlimme Zeit. Er wurde besonders in Abwesenheit des Vaters unaufhörlich geplagt und musste ohne die geringste Belohnung dafür seine schwachen Kräfte im Dienste des kleinen Schreihalses einsetzen, wobei er sich mehr und mehr aufrieb. Sein Kopf bekam einen ungewöhnlichen Umfang; die brandroten Haare und das kreidige Gesicht darunter machten einen unschönen und im Verein mit der übrigen kläglichen Gestalt erbarmungswürdigen Eindruck. Wenn sich der zurückgebliebene Tobias solchergestalt, das kleine, von Gesundheit strotzende Brüderchen auf dem Arme, hinunter zur Spree schleppte, so wurden hinter den Fenstern der Hütten Verwünschungen laut, die sich jedoch niemals hervorwagten. Thiel aber, welchen die Sache doch vor allem anging, schien keine Augen für sie zu haben und wollte auch die Winke nicht verstehen, welche ihm von wohlmeinenden Nachbarsleuten gegeben wurden.

21 **aufrieb:** überanstrengte

An einem Junimorgen gegen sieben Uhr kam Thiel aus dem Dienst. Seine Frau hatte nicht so bald ihre Begrüßung beendet, als sie schon in gewohnter Weise zu lamentieren begann. Der Pachtacker, welcher bisher den Kartoffelbedarf der Familie gedeckt hatte, war vor Wochen gekündigt worden, ohne dass es Lenen bisher gelungen war, einen Ersatz dafür ausfindig zu machen. Wenngleich nun die Sorge um den Acker zu ihren Obliegenheiten gehörte, so musste doch Thiel ein Mal übers andere hören, dass niemand als er daran schuld sei, wenn man in diesem Jahre zehn Sack Kartoffeln für schweres Geld kaufen müsse. Thiel brummte nur und begab sich, Lenens Reden wenig Beachtung schenkend, sogleich an das Bett seines Ältesten, welches er in den Nächten, wo er nicht im Dienst war, mit ihm teilte. Hier ließ er sich nieder und beobachtete mit einem sorglichen Ausdruck seines guten Gesichts das schlafende Kind, welches er, nachdem er die zudringlichen Fliegen eine Weile von ihm abgehalten, schließlich weckte. In den blauen, tiefliegenden Augen des Erwachenden malte sich eine rührende Freude. Er griff hastig nach der Hand des Vaters, indes sich seine Mundwinkel zu einem kläglichen Lächeln verzogen. Der Wärter half ihm sogleich beim Anziehen der wenigen Kleidungsstücke, wobei plötzlich etwas wie ein Schatten durch seine Mienen lief, als er bemerkte, dass sich auf der rechten, ein wenig angeschwollenen Backe einige Fingerspuren weiß in rot abzeichneten.

Als Lene beim Frühstück mit vergrößertem Eifer auf vorberegte Wirtschaftsangelegenheit zurückkam, schnitt er ihr das Wort ab mit der Nachricht, dass ihm der Bahnmeister ein Stück Land längs des Bahndammes in

---

4 f. **lamentieren:** jammern, klagen | 9 f. **Obliegenheiten:** Pflichten | 12 f. **schweres Geld:** viel Geld (das wegen des Münzgewichts »schwer« ist) | 31 **vorberegte:** zuvor erwähnte | 33 **Bahnmeister:** Dienstvorgesetzter der Bahnwärter

unmittelbarer Nähe des Wärterhauses umsonst überlassen habe, angeblich weil es ihm, dem Bahnmeister, zu abgelegen sei.

Lene wollte das anfänglich nicht glauben. Nach und nach wichen jedoch ihre Zweifel, und nun geriet sie in merklich gute Laune. Ihre Fragen nach Größe und Güte des Ackers sowie andre mehr verschlangen sich förmlich, und als sie erfuhr, dass bei alledem noch zwei Zwergobstbäume darauf stünden, wurde sie rein närrisch. Als nichts mehr zu erfragen übrig blieb, zudem die Türglocke des Krämers, die man, beiläufig gesagt, in jedem einzelnen Hause des Ortes vernehmen konnte, unaufhörlich anschlug, schoss sie davon, um die Neuigkeit im Örtchen auszusprengen.

Während Lene in die dunkle, mit Waren überfüllte Kammer des Krämers kam, beschäftigte sich der Wärter daheim ausschließlich mit Tobias. Der Junge saß auf seinen Knien und spielte mit einigen Kiefernzapfen, die Thiel mit aus dem Walde gebracht hatte.

»Was willst du werden?«, fragte ihn der Vater, und diese Frage war stereotyp wie die Antwort des Jungen: »Ein Bahnmeister.« Es war keine Scherzfrage, denn die Träume des Wärters verstiegen sich in der Tat in solche Höhen, und er hegte allen Ernstes den Wunsch und die Hoffnung, dass aus Tobias mit Gottes Hilfe etwas Außergewöhnliches werden sollte. Sobald die Antwort »Ein Bahnmeister« von den blutlosen Lippen des Kleinen kam, der natürlich nicht wusste, was sie bedeuten sollte, begann Thiels Gesicht sich aufzuhellen, bis es förmlich strahlte von innerer Glückseligkeit.

»Geh, Tobias, geh spielen!«, sagte er kurz darauf, indem er eine Pfeife Tabak mit einem im Herdfeuer entzündeten Span in Brand steckte, und der Kleine drückte sich alsbald in scheuer Freude zur Türe hinaus. Thiel

---

14 **auszusprengen:** zu verbreiten (vgl. das Sprengen mit Wasser) |
21 **stereotyp:** ständig wiederkehrend, ritualisiert

entkleidete sich, ging zu Bett und entschlief, nachdem er
geraume Zeit gedankenvoll die niedrige und rissige Stubendecke angestarrt hatte. Gegen zwölf Uhr mittags erwachte er, kleidete sich an und ging, während seine Frau
in ihrer lärmenden Weise das Mittagbrot bereitete, hinaus auf die Straße, wo er Tobiaschen sogleich aufgriff,
der mit den Fingern Kalk aus einem Loche in der Wand
kratzte und in den Mund steckte. Der Wärter nahm ihn
bei der Hand und ging mit ihm an den etwa acht Häuschen des Ortes vorüber bis hinunter zur Spree, die
schwarz und glasig zwischen schwach belaubten Pappeln
lag. Dicht am Rande des Wassers befand sich ein Granitblock, auf welchen Thiel sich niederließ.

Der ganze Ort hatte sich gewöhnt, ihn bei nur irgend
erträglichem Wetter an dieser Stelle zu erblicken. Die
Kinder besonders hingen an ihm, nannten ihn »Vater
Thiel« und wurden von ihm in mancherlei Spielen unterrichtet, deren er sich aus seiner Jugendzeit erinnerte.
Das Beste jedoch von dem Inhalt seiner Erinnerungen
war für Tobias. Er schnitzelte ihm Fitschepfeile, die höher flogen als die aller anderen Jungen. Er schnitt ihm
Weidenpfeifchen und ließ sich sogar herbei, mit seinem
verrosteten Bass das Beschwörungslied zu singen, während er mit dem Horngriff seines Taschenmessers die
Rinde leise klopfte.

Die Leute verübelten ihm seine Läppschereien; es war
ihnen unerfindlich, wie er sich mit den Rotznasen so viel
abgeben konnte. Im Grunde durften sie jedoch damit
zufrieden sein, denn die Kinder waren unter seiner Obhut gut aufgehoben. Überdies nahm Thiel auch ernste
Dinge mit ihnen vor, hörte den Großen ihre Schulaufgaben ab, half ihnen beim Lernen der Bibel- und Gesangbuchverse und buchstabierte mit den Kleinen a-b-
ab, d-u-du, und so fort.

---

20 **schnitzelte ... Fitschepfeile:** schnitzte (Flitze-)Pfeile für das
Bogenschießen | 22 **Weidenpfeifchen:** Flöten oder Pfeifen aus
Weidenästen | 26 **Läppschereien:** einfältiges, närrisches (läppisches)
Verhalten

Nach dem Mittagessen legte sich der Wärter abermals zu kurzer Ruhe nieder. Nachdem sie beendigt, trank er den Nachmittagskaffee und begann gleich darauf sich für den Gang in den Dienst vorzubereiten. Er brauchte dazu, wie zu allen seinen Verrichtungen, viel Zeit; jeder Handgriff war seit Jahren geregelt; in stets gleicher Reihenfolge wanderten die sorgsam auf der kleinen Nussbaumkommode ausgebreiteten Gegenstände: Messer, Notizbuch, Kamm, ein Pferdezahn, die alte, eingekapselte Uhr, in die Taschen seiner Kleider. Ein kleines, in rotes Papier eingeschlagenes Büchelchen wurde mit besonderer Sorgfalt behandelt. Es lag während der Nacht unter dem Kopfkissen des Wärters und wurde am Tage von ihm stets in der Brusttasche des Dienstrockes herumgetragen. Auf der Etikette unter dem Umschlag stand in unbeholfenen, aber verschnörkelten Schriftzügen, von Thiels Hand geschrieben: »Sparkassenbuch des Tobias Thiel«.

Die Wanduhr mit dem langen Pendel und dem gelbsüchtigen Zifferblatt zeigte dreiviertel fünf, als Thiel fortging. Ein kleiner Kahn, sein Eigentum, brachte ihn über den Fluss. Am jenseitigen Spreeufer blieb er einige Male stehen und lauschte nach dem Ort zurück. Endlich bog er in einen breiten Waldweg und befand sich nach wenigen Minuten inmitten des tiefaufrauschenden Kiefernforstes, dessen Nadelmassen einem schwarzgrünen, wellenwerfenden Meere glichen. Unhörbar wie auf Filz schritt er über die feuchte Moos- und Nadelschicht des Waldbodens. Er fand seinen Weg, ohne aufzublicken, hier durch die rostbraunen Säulen des Hochwaldes, dort weiterhin durch dichtverschlungenes Jungholz, noch weiter über ausgedehnte Schonungen, die von einzelnen hohen und schlanken Kiefern überschattet wurden, welche man zum Schutze für den Nachwuchs aufbehalten

9 **Pferdezahn:** als Glücksbringer | 15 **Etikette:** (Nebenform zu ›das Etikett‹) Schildchen für eine Aufschrift | 34 **aufbehalten:** aufbewahrt; nicht gefällt

hatte. Ein bläulicher, durchsichtiger, mit allerhand Düften geschwängerter Dunst stieg aus der Erde auf und ließ die Formen der Bäume verwaschen erscheinen. Ein schwerer, milchiger Himmel hing tief herab über die Baumwipfel. Krähenschwärme badeten gleichsam im Grau der Luft, unaufhörlich ihre knarrenden Rufe ausstoßend. Schwarze Wasserlachen füllten die Vertiefungen des Weges und spiegelten die trübe Natur noch trüber wider.

Ein furchtbares Wetter, dachte Thiel, als er aus tiefem Nachdenken erwachte und aufschaute.

Plötzlich jedoch bekamen seine Gedanken eine andere Richtung. Er fühlte dunkel, dass er etwas daheim vergessen haben müsse, und wirklich vermisste er beim Durchsuchen seiner Taschen das Butterbrot, welches er der langen Dienstzeit halber stets mitzunehmen genötigt war. Unschlüssig blieb er eine Weile stehen, wandte sich dann aber plötzlich und eilte in der Richtung des Dorfes zurück.

In kurzer Zeit hatte er die Spree erreicht, setzte mit wenigen kräftigen Ruderschlägen über und stieg gleich darauf, am ganzen Körper schwitzend, die sanft ansteigende Dorfstraße hinauf. Der alte, schäbige Pudel des Krämers lag mitten auf der Straße. Auf dem geteerten Plankenzaune eines Kossätenhofes saß eine Nebelkrähe. Sie spreizte die Federn, schüttelte sich, nickte, stieß ein ohrenzerreißendes Krä-krä aus und erhob sich mit pfeifendem Flügelschlag, um sich vom Winde in der Richtung des Forstes davontreiben zu lassen.

Von den Bewohnern der kleinen Kolonie, etwa zwanzig Fischern und Waldarbeitern mit ihren Familien, war nichts zu sehen.

Der Ton einer kreischenden Stimme unterbrach die Stille so laut und schrill, dass der Wärter unwillkürlich

---

25 **eines Kossätenhofes:** eines kleinen Bauerngehöfts

mit Laufen innehielt. Ein Schwall heftig herausgestoßner, misstönender Laute schlug an sein Ohr, die aus dem offnen Giebelfenster eines niedrigen Häuschens zu kommen schienen, welches er nur zu wohl kannte.

Das Geräusch seiner Schritte nach Möglichkeit dämpfend, schlich er sich näher und unterschied nun ganz deutlich die Stimme seiner Frau. Nur noch wenige Bewegungen, und die meisten ihrer Worte wurden ihm verständlich.

»Was, du unbarmherziger, herzloser Schuft! soll sich das elende Wurm die Plautze ausschreien vor Hunger? – wie? – na, wart nur, wart, ich will dich lehren aufpassen! – du sollst dran denken.« Einige Augenblicke blieb es still; dann hörte man ein Geräusch, wie wenn Kleidungsstücke ausgeklopft würden; unmittelbar darauf entlud sich ein neues Hagelwetter von Schimpfworten.

»Du erbärmlicher Grünschnabel«, scholl es im schnellsten Tempo herunter, »meinst du, ich sollte mein leibliches Kind wegen solch einem Jammerlappen, wie du bist, verhungern lassen?« – »Halt's Maul!«, schrie es, als ein leises Wimmern hörbar wurde, »oder du sollst eine Portion kriegen, an der du acht Tage zu fressen hast.«

Das Wimmern verstummte nicht.

Der Wärter fühlte, wie sein Herz in schweren, unregelmäßigen Schlägen ging. Er begann leise zu zittern. Seine Blicke hingen wie abwesend am Boden fest, und die plumpe und harte Hand strich mehrmals ein Büschel nasser Haare zur Seite, das immer von neuem in die sommersprossige Stirne hineinfiel.

Einen Augenblick drohte es ihn zu überwältigen. Es war ein Krampf, der die Muskeln schwellen machte und die Finger der Hand zur Faust zusammenzog. Es ließ nach, und dumpfe Mattigkeit blieb zurück.

---

11 das ... **Wurm:** umgangssprachlich für kleines Kind, Säugling | 11 **Plautze:** ostdeutsches Wort für Lunge, Bauch | 17 **Grünschnabel:** junger und damit unreifer, unerfahrener Mensch

Unsicheren Schrittes trat der Wärter in den engen, ziegelgepflasterten Hausflur. Müde und langsam erklomm er die knarrende Holzstiege.

»Pfui, pfui, pfui!«, hob es wieder an; dabei hörte man, wie jemand dreimal hintereinander mit allen Zeichen der Wut und Verachtung ausspie. »Du erbärmlicher, niederträchtiger, hinterlistiger, hämischer, feiger, gemeiner Lümmel!« Die Worte folgten einander in steigender Betonung, und die Stimme, welche sie herausstieß, schnappte zuweilen über vor Anstrengung. »Meinen Buben willst du schlagen, was? Du elende Göre unterstehst dich, das arme, hilflose Kind aufs Maul zu schlagen? – wie? – he, wie? – Ich will mich nur nicht dreckig machen an dir, sonst – ...«

In diesem Augenblick öffnete Thiel die Tür des Wohnzimmers, weshalb der erschrockenen Frau das Ende des begonnenen Satzes in der Kehle stecken blieb. Sie war kreidebleich vor Zorn; ihre Lippen zuckten bösartig; sie hatte die Rechte erhoben, senkte sie und griff nach dem Milchtopf, aus dem sie ein Kinderfläschchen vollzufüllen versuchte. Sie ließ jedoch diese Arbeit, da der größte Teil der Milch über den Flaschenhals auf den Tisch rann, halb verrichtet, griff vollkommen fassungslos vor Erregung bald nach diesem, bald nach jenem Gegenstand, ohne ihn länger als einige Augenblicke festhalten zu können, und ermannte sich endlich so weit, ihren Mann heftig anzulassen: was es denn heißen solle, dass er um diese ungewöhnliche Zeit nach Hause käme, er würde sie doch nicht etwa gar belauschen wollen. »Das wäre noch das Letzte«, meinte sie, und gleich darauf: sie habe ein reines Gewissen und brauche vor niemand die Augen niederzuschlagen.

Thiel hörte kaum, was sie sagte. Seine Blicke streiften flüchtig das heulende Tobiaschen. Einen Augenblick

---

11 **Göre:** kleines Kind | 27 **anzulassen:** anzufahren, zu beschimpfen

schien es, als müsse er gewaltsam etwas Furchtbares zurückhalten, was in ihm aufstieg; dann legte sich über die gespannten Mienen plötzlich das alte Phlegma, von einem verstohlnen begehrlichen Aufblitzen der Augen seltsam belebt. Sekundenlang spielte sein Blick über den starken Gliedmaßen seines Weibes, das, mit abgewandtem Gesicht herumhantierend, noch immer nach Fassung suchte. Ihre vollen, halbnackten Brüste blähten sich vor Erregung und drohten das Mieder zu sprengen, und ihre aufgerafften Röcke ließen die breiten Hüften noch breiter erscheinen. Eine Kraft schien von dem Weibe auszugehen, unbezwingbar, unentrinnbar, der Thiel sich nicht gewachsen fühlte.

Leicht gleich einem feinen Spinngewebe und doch fest wie ein Netz von Eisen legte es sich um ihn, fesselnd, überwindend, erschlaffend. Er hätte in diesem Zustand überhaupt kein Wort an sie zu richten vermocht, am allerwenigsten ein hartes, und so musste Tobias, der in Tränen gebadet und verängstet in einer Ecke hockte, sehen, wie der Vater, ohne auch nur weiter nach ihm umzuschauen, das vergessne Brot von der Ofenbank nahm, es der Mutter als einzige Erklärung hinhielt und mit einem kurzen, zerstreuten Kopfnicken sogleich wieder verschwand.

III

Obleich Thiel den Weg in seine Waldeinsamkeit mit möglichster Eile zurücklegte, kam er doch erst fünfzehn Minuten nach der ordnungsmäßigen Zeit an den Ort seiner Bestimmung.

Der Hilfswärter, ein infolge des bei seinem Dienst unumgänglichen schnellen Temperaturwechsels schwind-

---

30 f. **schwindsüchtig:** lungenkrank

süchtig gewordener Mensch, der mit ihm im Dienste ab-
wechselte, stand schon fertig zum Aufbruch auf der kleinen, sandigen Plattform des Häuschens, dessen große
Nummer schwarz auf weiß weithin durch die Stämme
leuchtete.

Die beiden Männer reichten sich die Hände, machten
sich einige kurze Mitteilungen und trennten sich. Der
eine verschwand im Innern der Bude, der andre ging
quer über die Strecke, die Fortsetzung jener Straße be-
nutzend, welche Thiel gekommen war. Man hörte sein
krampfhaftes Husten erst näher, dann ferner durch die
Stämme, und mit ihm verstummte der einzige menschliche Laut in dieser Einöde. Thiel begann wie immer so
auch heute damit, das enge, viereckige Steingebauer der
Wärterbude auf seine Art für die Nacht herzurichten. Er
tat es mechanisch, während sein Geist mit dem Eindruck
der letzten Stunden beschäftigt war. Er legte sein
Abendbrot auf den schmalen, braungestrichnen Tisch an
einem der beiden schlitzartigen Seitenfenster, von denen
aus man die Strecke bequem übersehen konnte. Hierauf
entzündete er in dem kleinen, rostigen Öfchen ein Feuer
und stellte einen Topf kalten Wassers darauf. Nachdem
er schließlich noch in die Gerätschaften, Schaufel, Spaten, Schraubstock und so weiter, einige Ordnung gebracht hatte, begab er sich ans Putzen seiner Laterne, die
er zugleich mit frischem Petroleum versorgte.

Als dies geschehen war, meldete die Glocke mit drei
schrillen Schlägen, die sich wiederholten, dass ein Zug in
der Richtung von Breslau her aus der nächstliegenden
Station abgelassen sei. Ohne die mindeste Hast zu zeigen, blieb Thiel noch eine gute Weile im Innern der
Bude, trat endlich, Fahne und Patronentasche in der
Hand, langsam ins Freie und bewegte sich trägen und
schlürfenden Ganges über den schmalen Sandpfad, dem

---

14 **Steingebauer:** Käfig (so bezeichnet wegen der Enge des Wärter-
häuschens) aus Stein | 30 **abgelassen sei:** das Signal zur Weiterfahrt
erhalten habe

etwa zwanzig Schritt entfernten Bahnübergang zu. Seine Barrieren schloss und öffnete Thiel vor und nach jedem Zuge gewissenhaft, obgleich der Weg nur selten von jemand passiert wurde.

Er hatte seine Arbeit beendet und lehnte jetzt wartend an der schwarzweißen Sperrstange.

Die Strecke schnitt rechts und links gradlinig in den unabsehbaren grünen Forst hinein; zu ihren beiden Seiten stauten die Nadelmassen gleichsam zurück, zwischen sich eine Gasse frei lassend, die der rötlichbraune, kiesbestreute Bahndamm ausfüllte. Die schwarzen, parallellaufenden Geleise darauf glichen in ihrer Gesamtheit einer ungeheuren eisernen Netzmasche, deren schmale Strähne sich im äußersten Süden und Norden in einem Punkte des Horizontes zusammenzogen.

Der Wind hatte sich erhoben und trieb leise Wellen den Waldrand hinunter und in die Ferne hinein. Aus den Telegraphenstangen, die die Strecke begleiteten, tönten summende Akkorde. Auf den Drähten, die sich wie das Gewebe einer Riesenspinne von Stange zu Stange fortrankten, klebten in dichten Reihen Scharen zwitschernder Vögel. Ein Specht flog lachend über Thiels Kopf weg, ohne dass er eines Blickes gewürdigt wurde.

Die Sonne, welche soeben unter dem Rande mächtiger Wolken herabhing, um in das schwarzgrüne Wipfelmeer zu versinken, goss Ströme von Purpur über den Forst. Die Säulenarkaden der Kiefernstämme jenseits des Dammes entzündeten sich gleichsam von innen heraus und glühten wie Eisen.

Auch die Geleise begannen zu glühen, feurigen Schlangen gleich, aber sie erloschen zuerst; und nun stieg die Glut langsam vom Erdboden in die Höhe, erst die Schäfte der Kiefern, weiter den größten Teil ihrer Kronen in kaltem Verwesungslichte zurücklassend, zuletzt

---

6 **Sperrstange:** Bahnschranke | 33 **Schäfte:** glatte, astlose Stämme

nur noch den äußersten Rand der Wipfel mit einem rötlichen Schimmer streifend. Lautlos und feierlich vollzog sich das erhabene Schauspiel. Der Wärter stand noch immer regungslos an der Barriere. Endlich trat er einen Schritt vor. Ein dunkler Punkt am Horizonte, da wo die Geleise sich trafen, vergrößerte sich. Von Sekunde zu Sekunde wachsend, schien er doch auf einer Stelle zu stehen. Plötzlich bekam er Bewegung und näherte sich. Durch die Geleise ging ein Vibrieren und Summen, ein rhythmisches Geklirr, ein dumpfes Getöse, das, lauter und lauter werdend, zuletzt den Hufschlägen eines heranbrausenden Reitergeschwaders nicht unähnlich war.

Ein Keuchen und Brausen schwoll stoßweise fernher durch die Luft. Dann plötzlich zerriss die Stille. Ein rasendes Tosen und Toben erfüllte den Raum, die Geleise bogen sich, die Erde zitterte – ein starker Luftdruck – eine Wolke von Staub, Dampf und Qualm, und das schwarze, schnaubende Ungetüm war vorüber. So wie sie anwuchsen, starben nach und nach die Geräusche. Der Dunst verzog sich. Zum Punkte eingeschrumpft, schwand der Zug in der Ferne, und das alte heil'ge Schweigen schlug über dem Waldwinkel zusammen.

»Minna«, flüsterte der Wärter, wie aus einem Traum erwacht, und ging nach seiner Bude zurück. Nachdem er sich einen dünnen Kaffee aufgebrüht, ließ er sich nieder und starrte, von Zeit zu Zeit einen Schluck zu sich nehmend, auf ein schmutziges Stück Zeitungspapier, das er irgendwo an der Strecke aufgelesen.

Nach und nach überkam ihn eine seltsame Unruhe. Er schob es auf die Backofenglut, welche das Stübchen erfüllte, und riss Rock und Weste auf, um sich zu erleichtern. Wie das nichts half, erhob er sich, nahm einen Spa-

---

12 **Reitergeschwaders:** Geschwader: größere militärische Formation

ten aus der Ecke und begab sich auf das geschenkte
Äckerchen.

Es war ein schmaler Streifen Sandes, von Unkraut
dicht überwuchert. Wie schneeweißer Schaum lag die
junge Blütenpracht auf den Zweigen der beiden Zwerg-
obstbäumchen, welche darauf standen.

Thiel wurde ruhig, und ein stilles Wohlgefallen be-
schlich ihn.

Nun also an die Arbeit.

Der Spaten schnitt knirschend in das Erdreich; die
nassen Schollen fielen dumpf zurück und bröckelten
auseinander.

Eine Zeitlang grub er ohne Unterbrechung. Dann
hielt er plötzlich inne und sagte laut und vernehmlich
vor sich hin, indem er dazu bedenklich den Kopf hin
und her wiegte: »Nein, nein, das geht ja nicht«, und wieder: »Nein, nein, das geht ja gar nicht.«

Es war ihm plötzlich eingefallen, dass ja nun Lene des
öftern herauskommen würde, um den Acker zu bestel-
len, wodurch dann die hergebrachte Lebensweise in be-
denkliche Schwankungen geraten musste. Und jäh verwandelte sich seine Freude über den Besitz des Ackers in
Widerwillen. Hastig, wie wenn er etwas Unrechtes zu
tun im Begriff gestanden hätte, riss er den Spaten aus der
Erde und trug ihn nach der Bude zurück. Hier versank
er abermals in dumpfe Grübelei. Er wusste kaum,
warum, aber die Aussicht, Lene ganze Tage lang bei sich
im Dienst zu haben, wurde ihm, sosehr er auch versuchte, sich damit zu versöhnen, immer unerträglicher.
Es kam ihm vor, als habe er etwas ihm Wertes zu verteidigen, als versuchte jemand, sein Heiligstes anzutasten,
und unwillkürlich spannten sich seine Muskeln in ge-
lindem Krampfe, während ein kurzes, herausforderndes
Lachen seinen Lippen entfuhr. Vom Widerhall dieses

Lachens erschreckt, blickte er auf und verlor dabei den Faden seiner Betrachtungen. Als er ihn wiedergefunden, wühlte er sich gleichsam in den alten Gegenstand.

Und plötzlich zerriss etwas wie ein dichter, schwarzer Vorhang in zwei Stücke, und seine umnebelten Augen gewannen einen klaren Ausblick. Es war ihm auf einmal zumute, als erwache er aus einem zweijährigen totenähnlichen Schlaf und betrachte nun mit ungläubigem Kopfschütteln all das Haarsträubende, welches er in diesem Zustand begangen haben sollte. Die Leidensgeschichte seines Ältesten, welche die Eindrücke der letzten Stunden nur noch hatten besiegeln können, trat deutlich vor seine Seele. Mitleid und Reue ergriff ihn sowie auch eine tiefe Scham darüber, dass er diese ganze Zeit in schmachvoller Duldung hingelebt hatte, ohne sich des lieben, hilflosen Geschöpfes anzunehmen, ja ohne auch nur die Kraft zu finden, sich einzugestehen, wie sehr dieses litt.

Über den selbstquälerischen Vorstellungen all seiner Unterlassungssünden überkam ihn eine schwere Müdigkeit, und so entschlief er mit gekrümmtem Rücken, die Stirn auf die Hand, diese auf den Tisch gelegt.

Eine Zeitlang hatte er so gelegen, als er mit erstickter Stimme mehrmals den Namen »Minna« rief.

Ein Brausen und Sausen füllte sein Ohr, wie von unermesslichen Wassermassen; es wurde dunkel um ihn, er riss die Augen auf und erwachte. Seine Glieder flogen, der Angstschweiß drang ihm aus allen Poren, sein Puls ging unregelmäßig, sein Gesicht war nass vor Tränen.

Es war stockdunkel. Er wollte einen Blick nach der Tür werfen, ohne zu wissen, wohin er sich wenden sollte. Taumelnd erhob er sich, noch immer währte seine Herzensangst. Der Wald draußen rauschte wie Meeresbrandung, der Wind warf Hagel und Regen gegen die

Fenster des Häuschens. Thiel tastete ratlos mit den Händen umher. Einen Augenblick kam er sich vor wie ein Ertrinkender – da plötzlich flammte es bläulich blendend auf, wie wenn Tropfen überirdischen Lichtes in die dunkle Erdatmosphäre herabsänken, um sogleich von ihr erstickt zu werden.

Der Augenblick genügte, um den Wärter zu sich selbst zu bringen. Er griff nach seiner Laterne, die er auch glücklich zu fassen bekam, und in diesem Augenblick erwachte der Donner am fernsten Saume des märkischen Nachthimmels. Erst dumpf und verhalten grollend, wälzte er sich näher in kurzen, brandenden Erzwellen, bis er, zu Riesenstößen anwachsend, sich endlich, die ganze Atmosphäre überflutend, dröhnend, schütternd und brausend entlud.

Die Scheiben klirrten, die Erde erbebte.

Thiel hatte Licht gemacht. Sein erster Blick, nachdem er die Fassung wiedergewonnen, galt der Uhr. Es lagen kaum fünf Minuten zwischen jetzt und der Ankunft des Schnellzuges. Da er glaubte, das Signal überhört zu haben, begab er sich, so schnell als Sturm und Dunkelheit erlaubten, nach der Barriere. Als er noch damit beschäftigt war, diese zu schließen, erklang die Signalglocke. Der Wind zerriss ihre Töne und warf sie nach allen Richtungen auseinander. Die Kiefern bogen sich und rieben unheimlich knarrend und quietschend ihre Zweige aneinander. Einen Augenblick wurde der Mond sichtbar, wie er gleich einer blassgoldnen Schale zwischen den Wolken lag. In seinem Lichte sah man das Wühlen des Windes in den schwarzen Kronen der Kiefern. Die Blattgehänge der Birken am Bahndamm wehten und flatterten wie gespenstige Rossschweife. Darunter lagen die Linien der Geleise, welche, vor Nässe glänzend, das blasse Mondlicht in einzelnen Flecken aufsaugten.

Thiel riss die Mütze vom Kopfe. Der Regen tat ihm wohl und lief vermischt mit Tränen über sein Gesicht. Es gärte in seinem Hirn; unklare Erinnerungen an das, was er im Traum gesehen, verjagten einander. Es war ihm gewesen, als würde Tobias von jemand gemisshandelt, und zwar auf eine so entsetzliche Weise, dass ihm noch jetzt bei dem Gedanken daran das Herz stillstand. Einer anderen Erscheinung erinnerte er sich deutlicher. Er hatte seine verstorbene Frau gesehen. Sie war irgendwoher aus der Ferne gekommen, auf einem der Bahngeleise. Sie hatte recht kränklich ausgesehen, und statt der Kleider hatte sie Lumpen getragen. Sie war an Thiels Häuschen vorübergekommen, ohne sich darnach umzuschauen, und schließlich – hier wurde die Erinnerung undeutlich – war sie aus irgendwelchem Grunde nur mit großer Mühe vorwärts gekommen und sogar mehrmals zusammengebrochen.

Thiel dachte weiter nach, und nun wusste er, dass sie sich auf der Flucht befunden hatte. Es lag außer allem Zweifel, denn weshalb hätte sie sonst diese Blicke voll Herzensangst nach rückwärts gesandt und sich weitergeschleppt, obgleich ihr die Füße den Dienst versagten. O diese entsetzlichen Blicke!

Aber es war etwas, das sie mit sich trug, in Tücher gewickelt, etwas Schlaffes, Blutiges, Bleiches, und die Art, mit der sie darauf niederblickte, erinnerte ihn an Szenen der Vergangenheit.

Er dachte an eine sterbende Frau, die ihr kaum geborenes Kind, das sie zurücklassen musste, unverwandt anblickte, mit einem Ausdruck tiefsten Schmerzes, unfassbarer Qual, jenem Ausdruck, den Thiel ebenso wenig vergessen konnte, wie dass er einen Vater und eine Mutter habe.

Wo war sie hingekommen? Er wusste es nicht. Das

---

3 **gärte:** brodelte, kochte

aber trat ihm klar vor die Seele: sie hatte sich von ihm losgesagt, ihn nicht beachtet, sie hatte sich fortgeschleppt immer weiter und weiter durch die stürmische, dunkle Nacht. Er hatte sie gerufen: »Minna, Minna«, und davon war er erwacht.

Zwei rote, runde Lichter durchdrangen wie die Glotz-augen eines riesigen Ungetüms die Dunkelheit. Ein blu-tiger Schein ging vor ihnen her, der die Regentropfen in seinem Bereich in Blutstropfen verwandelte. Es war, als fiele ein Blutregen vom Himmel.

Thiel fühlte ein Grauen und, je näher der Zug kam, eine umso größere Angst; Traum und Wirklichkeit ver-schmolzen ihm in eins. Noch immer sah er das wan-dernde Weib auf den Schienen, und seine Hand irrte nach der Patronentasche, als habe er die Absicht, den ra-senden Zug zum Stehen zu bringen. Zum Glück war es zu spät, denn schon flirrte es vor Thiels Augen von Lichtern, und der Zug raste vorüber.

Den übrigen Teil der Nacht fand Thiel wenig Ruhe mehr in seinem Dienst. Es drängte ihn, daheim zu sein. Er sehnte sich, Tobiaschen wiederzusehen. Es war ihm zumute, als sei er durch Jahre von ihm getrennt gewesen. Zuletzt war er in steigender Bekümmernis um das Be-finden des Jungen mehrmals versucht, den Dienst zu verlassen.

Um die Zeit hinzubringen, beschloss Thiel, sobald es dämmerte, seine Strecke zu revidieren. In der Linken einen Stock, in der Rechten einen langen eisernen Schraubschlüssel, schritt er denn auch alsbald auf dem Rücken einer Bahnschiene in das schmutziggraue Zwie-licht hinein.

Hin und wieder zog er mit dem Schraubschlüssel ei-nen Bolzen fest oder schlug an eine der runden Eisen-stangen, welche die Geleise untereinander verbanden.

---

27 **revidieren:** überprüfen

Regen und Wind hatten nachgelassen, und zwischen zerschlissenen Wolkenschichten wurden hie und da Stücke eines blassblauen Himmels sichtbar.

Das eintönige Klappen der Sohlen auf dem harten Metall, verbunden mit dem schläfrigen Geräusch der tropfenschüttelnden Bäume, beruhigte Thiel nach und nach.

Um sechs Uhr früh wurde er abgelöst und trat ohne Verzug den Heimweg an.

Es war ein herrlicher Sonntagmorgen.

Die Wolken hatten sich zerteilt und waren mittlerweile hinter den Umkreis des Horizontes hinabgesunken. Die Sonne goss, im Aufgehen gleich einem ungeheuren blutroten Edelstein funkelnd, wahre Lichtmassen über den Forst.

In scharfen Linien schossen die Strahlenbündel durch das Gewirr der Stämme, hier eine Insel zarter Farrenkräuter, deren Wedel feingeklöppelten Spitzen glichen, mit Glut behauchend, dort die silbergrauen Flechten des Waldgrundes zu roten Korallen umwandelnd.

Von Wipfeln, Stämmen und Gräsern floss der Feuertau. Eine Sintflut von Licht schien über die Erde ausgegossen. Es lag eine Frische in der Luft, die bis ins Herz drang, und auch hinter Thiels Stirn mussten die Bilder der Nacht allmählich verblassen.

Mit dem Augenblick jedoch, wo er in die Stube trat und Tobiaschen rotwangiger als je im sonnenbeschienenen Bette liegen sah, waren sie ganz verschwunden.

Wohl wahr! Im Verlauf des Tages glaubte Lene mehrmals etwas Befremdliches an ihm wahrzunehmen; so im Kirchstuhl, als er, statt ins Buch zu schauen, sie selbst von der Seite betrachtete, und dann auch um die Mittagszeit, als er, ohne ein Wort zu sagen, das Kleine, welches Tobias wie gewöhnlich auf die Straße tragen sollte,

---

17 f. **Farrenkräuter:** Farn | 18 **Wedel:** Farnwedel; die Zweige des Farns | 19 **Flechten:** symbiotische Systeme aus Pilzen und Algen

aus dessen Arm nahm und ihr auf den Schoß setzte.
Sonst aber hatte er nicht das geringste Auffällige an sich.

Thiel, der den Tag über nicht dazu gekommen war, sich niederzulegen, kroch, da er die folgende Woche Tagdienst hatte, bereits gegen neun Uhr abends ins Bett. Gerade als er im Begriff war einzuschlafen, eröffnete ihm die Frau, dass sie am folgenden Morgen mit nach dem Walde gehen werde, um das Land umzugraben und Kartoffeln zu stecken.

Thiel zuckte zusammen; er war ganz wach geworden, hielt jedoch die Augen fest geschlossen.

Es sei die höchste Zeit, meinte Lene, wenn aus den Kartoffeln noch etwas werden sollte, und fügte bei, dass sie die Kinder werde mitnehmen müssen, da vermutlich der ganze Tag draufgehen würde. Der Wärter brummte einige unverständliche Worte, die Lene weiter nicht beachtete. Sie hatte ihm den Rücken gewandt und war beim Scheine eines Talglichtes damit beschäftigt, das Mieder aufzunesteln und die Röcke herabzulassen.

Plötzlich fuhr sie herum, ohne selbst zu wissen, aus welchem Grunde, und blickte in das von Leidenschaften verzerrte, erdfarbene Gesicht ihres Mannes, der sie, halb aufgerichtet, die Hände auf der Bettkante, mit brennenden Augen anstarrte.

»Thiel!« – schrie die Frau halb zornig, halb erschreckt, und wie ein Nachtwandler, den man bei Namen ruft, erwachte er aus seiner Betäubung, stotterte einige verwirrte Worte, warf sich in die Kissen zurück und zog das Deckbett über die Ohren.

Lene war die erste, welche sich am folgenden Morgen vom Bett erhob. Ohne dabei Lärm zu machen, bereitete sie alles Nötige für den Ausflug vor. Der Kleinste wurde in den Kinderwagen gelegt, darauf Tobias geweckt und angezogen. Als er erfuhr, wohin es gehen sollte, musste

---

18 **Talglichtes:** Kerze aus Rinder- oder Hammelfett | 19 **Mieder:** ein den Oberkörper eng umschließendes Kleidungsstück für Frauen | 19 **aufzunesteln:** aufzuschnüren

er lächeln. Nachdem alles bereit war und auch der Kaffee fertig auf dem Tisch stand, erwachte Thiel. Missbehagen war sein erstes Gefühl beim Anblick all der getroffenen Vorbereitungen. Er hätte wohl gern ein Wort dagegen gesagt, aber er wusste nicht, womit beginnen. Und welche für Lene stichhaltigen Gründe hätte er auch angeben sollen?

Allmählich begann dann das mehr und mehr strahlende Gesichtchen seinen Einfluss auf Thiel zu üben, sodass er schließlich schon um der Freude willen, welche dem Jungen der Ausflug bereitete, nicht daran denken konnte, Widerspruch zu erheben. Nichtsdestoweniger blieb Thiel während der Wanderung durch den Wald nicht frei von Unruhe. Er stieß das Kinderwägelchen mühsam durch den tiefen Sand und hatte allerhand Blumen darauf liegen, die Tobias gesammelt hatte.

Der Junge war ausnehmend lustig. Er hüpfte in seinem braunen Plüschmützchen zwischen den Farrenkräutern umher und suchte auf eine freilich etwas unbeholfene Art die glasflügligen Libellen zu fangen, die darüber hingaukelten. Sobald man angelangt war, nahm Lene den Acker in Augenschein. Sie warf das Säckchen mit Kartoffelstücken, welche sie zur Saat mitgebracht hatte, auf den Grasrand eines kleinen Birkengehölzes, kniete nieder und ließ den etwas dunkel gefärbten Sand durch ihre harten Finger laufen.

Thiel beobachtete sie gespannt: »Nun, wie ist er?«

»Reichlich so gut wie die Spree-Ecke!« Dem Wärter fiel eine Last von der Seele. Er hatte gefürchtet, sie würde unzufrieden sein, und kratzte beruhigt seine Bartstoppeln.

Nachdem die Frau hastig eine dicke Brotkante verzehrt hatte, warf sie Tuch und Jacke fort und begann zu

---

22 **hingaukelten:** wie im Spiel hin und her flogen

graben, mit der Geschwindigkeit und Ausdauer einer Maschine.

In bestimmten Zwischenräumen richtete sie sich auf und holte in tiefen Zügen Luft, aber es war jeweilig nur ein Augenblick, wenn nicht etwa das Kleine gestillt werden musste, was mit keuchender, schweißtropfender Brust hastig geschah.

»Ich muss die Strecke belaufen, ich werde Tobias mitnehmen«, rief der Wärter nach einer Weile von der Plattform vor der Bude aus zu ihr herüber.

»Ach was – Unsinn!«, schrie sie zurück, »wer soll bei dem Kleinen bleiben? – Hierher kommst du!«, setzte sie noch lauter hinzu, während der Wärter, als ob er sie nicht hören könne, mit Tobiaschen davonging.

Im ersten Augenblick erwog sie, ob sie nicht nachlaufen solle, und nur der Zeitverlust bestimmte sie, davon abzustehen. Thiel ging mit Tobias die Strecke entlang. Der Kleine war nicht wenig erregt; alles war ihm neu, fremd. Er begriff nicht, was die schmalen, schwarzen, vom Sonnenlicht erwärmten Schienen zu bedeuten hatten. Unaufhörlich tat er allerhand sonderbare Fragen. Vor allem verwunderlich war ihm das Klingen der Telegraphenstangen. Thiel kannte den Ton jeder einzelnen seines Reviers, sodass er mit geschlossenen Augen stets gewusst haben würde, in welchem Teil der Strecke er sich gerade befand.

Oft blieb er, Tobiaschen an der Hand, stehen, um den wunderbaren Lauten zu lauschen, die aus dem Holze wie sonore Choräle aus dem Innern einer Kirche hervorströmten. Die Stange am Südende des Reviers hatte einen besonders vollen und schönen Akkord. Es war ein Gewühl von Tönen in ihrem Innern, die ohne Unterbrechung gleichsam in einem Atem fortklangen, und Tobias lief rings um das verwitterte Holz, um, wie er glaubte,

8 **belaufen:** kontrollieren | 29 **sonore Choräle:** klangvolle, volltönende Kirchengesänge | 30 **Reviers:** Dienstbereichs

durch eine Öffnung die Urheber des lieblichen Getöns zu entdecken. Der Wärter wurde weihevoll gestimmt, ähnlich wie in der Kirche. Zudem unterschied er mit der Zeit eine Stimme, die ihn an seine verstorbene Frau erinnerte. Er stellte sich vor, es sei ein Chor seliger Geister, in den sie ja auch ihre Stimme mische, und diese Vorstellung erweckte in ihm eine Sehnsucht, eine Rührung bis zu Tränen.

Tobias verlangte nach den Blumen, die seitab im Birkenwäldchen standen, und Thiel, wie immer, gab ihm nach.

Stücke blauen Himmels schienen auf den Boden des Haines herabgesunken, so wunderbar dicht standen kleine blaue Blüten darauf. Farbigen Wimpeln gleich flatterten und gaukelten die Schmetterlinge lautlos zwischen dem leuchtenden Weiß der Stämme, indes durch die zartgrünen Blätterwolken der Birkenkronen ein sanftes Rieseln ging.

Tobias rupfte Blumen, und der Vater schaute ihm sinnend zu. Zuweilen erhob sich auch der Blick des Letzteren und suchte durch die Lücken der Blätter den Himmel, der wie eine riesige, makellos blaue Kristallschale das Goldlicht der Sonne auffing.

»Vater, ist das der liebe Gott?«, fragte der Kleine plötzlich, auf ein braunes Eichhörnchen deutend, das unter kratzenden Geräuschen am Stamme einer alleinstehenden Kiefer hinanhuschte.

»Närrischer Kerl«, war alles, was Thiel erwidern konnte, während losgerissene Borkenstückchen den Stamm herunter vor seine Füße fielen.

Die Mutter grub noch immer, als Thiel und Tobias zurückkamen. Die Hälfte des Ackers war bereits umgeworfen.

Die Bahnzüge folgten einander in kurzen Zwischen-

---

2 **weihevoll:** ergriffen | 13 **Haines:** kleinen, lichten Waldes

räumen, und Tobias sah sie jedesmal mit offenem Munde vorübertoben.

Die Mutter selbst hatte ihren Spaß an seinen drolligen Grimassen.

Das Mittagessen, bestehend aus Kartoffeln und einem Restchen kalten Schweinebraten, verzehrte man in der Bude. Lene war aufgeräumt, und auch Thiel schien sich in das Unvermeidliche mit gutem Anstand fügen zu wollen. Er unterhielt seine Frau während des Essens mit allerlei Dingen, die in seinen Beruf schlugen. So fragte er sie, ob sie sich denken könne, dass in einer einzigen Bahnschiene sechsundvierzig Schrauben säßen, und anderes mehr.

Am Vormittage war Lene mit Umgraben fertig geworden; am Nachmittage sollten die Kartoffeln gesteckt werden. Sie bestand darauf, dass Tobias jetzt das Kleine warte, und nahm ihn mit sich.

»Pass auf ...«, rief Thiel ihr nach, von plötzlicher Besorgnis ergriffen, »pass auf, dass er den Geleisen nicht zu nahe kommt.«

Ein Achselzucken Lenens war die Antwort.

Der schlesische Schnellzug war gemeldet, und Thiel musste auf seinen Posten. Kaum stand er dienstfertig an der Barriere, so hörte er ihn auch schon heranbrausen.

Der Zug wurde sichtbar – er kam näher – in unzählbaren, sich überhastenden Stößen fauchte der Dampf aus dem schwarzen Maschinenschlote. Da: ein – zwei – drei milchweiße Dampfstrahlen quollen kerzengerade empor, und gleich darauf brachte die Luft den Pfiff der Maschine getragen. Dreimal hintereinander, kurz, grell, beängstigend. Sie bremsen, dachte Thiel, warum nur? Und wieder gellten die Notpfiffe schreiend, den Widerhall weckend, diesmal in langer, ununterbrochener Reihe.

---

7 **aufgeräumt:** gut gelaunt | 17 **warte:** pflege, betreue | 27 **Maschinenschlote:** Schornstein der Lokomotive

Thiel trat vor, um die Strecke überschauen zu können. Mechanisch zog er die rote Fahne aus dem Futteral und hielt sie gerade vor sich hin über die Geleise. – Jesus Christus – war er blind gewesen? Jesus Christus – o Jesus, Jesus, Jesus Christus! was war das? Dort! – dort zwischen den Schienen ... »Ha-alt!«, schrie der Wärter aus Leibeskräften. Zu spät. Eine dunkle Masse war unter den Zug geraten und wurde zwischen den Rädern wie ein Gummiball hin und her geworfen. Noch einige Augenblicke, und man hörte das Knarren und Quietschen der Bremsen. Der Zug stand.

Die einsame Strecke belebte sich. Zugführer und Schaffner rannten über den Kies nach dem Ende des Zuges. Aus jedem Fenster blickten neugierige Gesichter, und jetzt – die Menge knäulte sich und kam nach vorn.

Thiel keuchte; er musste sich festhalten, um nicht umzusinken wie ein gefällter Stier. Wahrhaftig, man winkt ihm – »Nein!«

Ein Aufschrei zerreißt die Luft von der Unglücksstelle her, ein Geheul folgt, wie aus der Kehle eines Tieres kommend. Wer war das?! Lene?! Es war nicht ihre Stimme, und doch ...

Ein Mann kommt in Eile die Strecke herauf.

»Wärter!«

»Was gibt's?«

»Ein Unglück!« ... Der Bote schrickt zurück, denn des Wärters Augen spielen seltsam. Die Mütze sitzt schief, die roten Haare scheinen sich aufzubäumen.

»Er lebt noch, vielleicht ist noch Hilfe.«

Ein Röcheln ist die einzige Antwort.

»Kommen Sie schnell, schnell!«

Thiel reißt sich auf mit gewaltiger Anstrengung. Seine schlaffen Muskeln spannen sich; er richtet sich hoch auf, sein Gesicht ist blöd und tot.

---

15 **knäulte sich**: bildete eine dichte Gruppe | 27 **spielen**: bewegen sich | 34 **blöd**: leer

Er rennt mit dem Boten, er sieht nicht die todbleichen, erschreckten Gesichter der Reisenden in den Zugfenstern. Eine junge Frau schaut heraus, ein Handlungsreisender im Fez, ein junges Paar, anscheinend auf der Hochzeitsreise. Was geht's ihn an? Er hat sich nie um den Inhalt dieser Polterkasten gekümmert; – sein Ohr füllt das Geheul Lenens. Vor seinen Augen schwimmt es durcheinander, gelbe Punkte, Glühwürmchen gleich, unzählig. Er schrickt zurück – er steht. Aus dem Tanze der Glühwürmchen tritt es hervor, blass, schlaff, blutrünstig. Eine Stirn, braun und blau geschlagen, blaue Lippen, über die schwarzes Blut tröpfelt. Er ist es.

Thiel spricht nicht. Sein Gesicht nimmt eine schmutzige Blässe an. Er lächelt wie abwesend; endlich beugt er sich; er fühlt die schlaffen, toten Gliedmaßen schwer in seinen Armen; die rote Fahne wickelt sich darum.

Er geht.

Wohin?

»Zum Bahnarzt, zum Bahnarzt«, tönt es durcheinander.

»Wir nehmen ihn gleich mit«, ruft der Packmeister und macht in seinem Wagen aus Dienströcken und Büchern ein Lager zurecht. »Nun also?«

Thiel macht keine Anstalten, den Verunglückten loszulassen. Man drängt in ihn. Vergebens. Der Packmeister lässt eine Bahre aus dem Packwagen reichen und beordert einen Mann, dem Vater beizustehen.

Die Zeit ist kostbar. Die Pfeife des Zugführers trillert. Münzen regnen aus den Fenstern.

Lene gebärdet sich wie wahnsinnig. »Das arme, arme Weib«, heißt es in den Coupés, »die arme, arme Mutter.«

Der Zugführer trillert abermals – ein Pfiff – die Maschine stößt weiße, zischende Dämpfe aus ihren Zylindern und streckt ihre eisernen Sehnen; einige Sekunden,

4 **Fez:** traditionelle arabisch-türkische Kopfbedeckung für Männer |
21 **Packmeister:** für den Gepäckwagen zuständiger Bahnbeamter |
31 **Coupés:** (frz.) Waggonabteilen

und der Kurierzug braust mit wehender Rauchfahne in verdoppelter Geschwindigkeit durch den Forst.

Der Wärter, anderen Sinnes geworden, legt den halbtoten Jungen auf die Bahre. Da liegt er da in seiner verkommenen Körpergestalt, und hin und wieder hebt ein langer, rasselnder Atemzug die knöcherne Brust, welche unter dem zerfetzten Hemd sichtbar wird. Die Ärmchen und Beinchen, nicht nur in den Gelenken gebrochen, nehmen die unnatürlichsten Stellungen ein. Die Ferse des kleinen Fußes ist nach vorn gedreht. Die Arme schlottern über den Rand der Bahre.

Lene wimmert in einem fort; jede Spur ihres einstigen Trotzes ist aus ihrem Wesen gewichen. Sie wiederholt fortwährend eine Geschichte, die sie von jeder Schuld an dem Vorfall reinwaschen soll.

Thiel scheint sie nicht zu beachten; mit entsetzlich bangem Ausdruck haften seine Augen an dem Kinde.

Es ist still ringsum geworden, totenstill; schwarz und heiß ruhen die Geleise auf dem blendenden Kies. Der Mittag hat die Winde erstickt, und regungslos, wie aus Stein, steht der Forst.

Die Männer beraten sich leise. Man muss, um auf dem schnellsten Wege nach Friedrichshagen zu kommen, nach der Station zurück, die nach der Richtung Breslau liegt, da der nächste Zug, ein beschleunigter Personenzug, auf der Friedrichshagen näher gelegenen nicht anhält.

Thiel scheint zu überlegen, ob er mitgehen solle. Augenblicklich ist niemand da, der den Dienst versteht. Eine stumme Handbewegung bedeutet seiner Frau, die Bahre aufzunehmen; sie wagt nicht, sich zu widersetzen, obgleich sie um den zurückbleibenden Säugling besorgt ist. Sie und der fremde Mann tragen die Bahre. Thiel begleitet den Zug bis an die Grenze seines Reviers, dann

1 **Kurierzug:** Schnellzug | 29 **der den Dienst versteht:** der sich auskennt und Thiel vertreten kann

bleibt er stehen und schaut ihm lange nach. Plötzlich schlägt er sich mit der flachen Hand vor die Stirn, dass es weithin schallt.

Er meint sich zu erwecken; denn es wird ein Traum sein, wie der gestern, sagt er sich. – Vergebens. – Mehr taumelnd als laufend erreichte er sein Häuschen. Drinnen fiel er auf die Erde, das Gesicht voran. Seine Mütze rollte in die Ecke, seine peinlich gepflegte Uhr fiel aus seiner Tasche, die Kapsel sprang, das Glas zerbrach. Es war, als hielte ihn eine eiserne Faust im Nacken gepackt, so fest, dass er sich nicht bewegen konnte, sosehr er auch unter Ächzen und Stöhnen sich frei zu machen suchte. Seine Stirn war kalt, seine Augen trocken, sein Schlund brannte.

Die Signalglocke weckte ihn. Unter dem Eindruck jener sich wiederholenden drei Glockenschläge ließ der Anfall nach. Thiel konnte sich erheben und seinen Dienst tun. Zwar waren seine Füße bleischwer, zwar kreiste um ihn die Strecke wie die Speiche eines ungeheuren Rades, dessen Achse sein Kopf war; aber er gewann doch wenigstens so viel Kraft, sich für einige Zeit aufrecht zu erhalten.

Der Personenzug kam heran. Tobias musste darin sein. Je näher er rückte, umso mehr verschwammen die Bilder vor Thiels Augen. Am Ende sah er nur noch den zerschlagenen Jungen mit dem blutigen Munde. Dann wurde es Nacht.

Nach einer Weile erwachte er aus einer Ohnmacht. Er fand sich dicht an der Barriere im heißen Sande liegen. Er stand auf, schüttelte die Sandkörner aus seinen Kleidern und spie sie aus seinem Munde. Sein Kopf wurde ein wenig freier, er vermochte ruhiger zu denken.

In der Bude nahm er sogleich seine Uhr vom Boden auf und legte sie auf den Tisch. Sie war trotz des Falles nicht stehen geblieben. Er zählte während zweier Stunden die Sekunden und Minuten, indem er sich vorstellte, was indes mit Tobias geschehen mochte. Jetzt kam Lene mit ihm an; jetzt stand sie vor dem Arzte. Dieser betrachtete und betastete den Jungen und schüttelte den Kopf.

»Schlimm, sehr schlimm – aber vielleicht ... wer weiß?« Er untersuchte genauer. »Nein«, sagte er dann, »nein, es ist vorbei.«

»Vorbei, vorbei«, stöhnte der Wärter, dann aber richtete er sich hoch auf und schrie, die rollenden Augen an die Decke geheftet, die erhobenen Hände unbewusst zur Faust ballend und mit einer Stimme, als müsse der enge Raum davon zerbersten: »Er muss, muss leben, ich sage dir, er muss, muss leben.« Und schon stieß er die Tür des Häuschens von neuem auf, durch die das rote Feuer des Abends hereinbrach, und rannte mehr, als er ging, der Barriere zurück. Hier blieb er eine Weile wie betroffen stehen und schritt dann plötzlich, beide Arme ausbreitend, bis in die Mitte des Dammes, als wenn er etwas aufhalten wollte, das aus der Richtung des Personenzuges kam. Dabei machten seine weit offenen Augen den Eindruck der Blindheit.

Während er, rückwärts schreitend, vor etwas zu weichen schien, stieß er in einem fort halbverständliche Worte zwischen den Zähnen hervor: »Du – hörst du – bleib doch – du – hör doch – bleib – gib ihn wieder – er ist braun und blau geschlagen – ja ja – gut – ich will sie wieder braun und blau schlagen – hörst du? bleib doch – gib ihn mir wieder.«

Es schien, als ob etwas an ihm vorüberwandle, denn er wandte sich und bewegte sich, wie um es zu verfolgen, nach der anderen Richtung.

»Du, Minna« – seine Stimme wurde weinerlich, wie

die eines kleinen Kindes. »Du, Minna, hörst du? – gib
ihn wieder – ich will …« Er tastete in die Luft, wie um
jemand festzuhalten. »Weibchen – ja – und da will ich sie
… und da will ich sie auch schlagen – braun und blau –
auch schlagen – und da will ich mit dem Beil – siehst du?
– Küchenbeil – mit dem Küchenbeil will ich sie schlagen,
und da wird sie verrecken.

Und da … ja mit dem Beil – Küchenbeil, ja – schwarzes Blut!« Schaum stand vor seinem Munde, seine glä-
sernen Pupillen bewegten sich unaufhörlich.

Ein sanfter Abendhauch strich leis und nachhaltig
über den Forst, und rosaflammiges Wolkengelock hing
über dem westlichen Himmel.

Etwa hundert Schritt hatte er so das unsichtbare Etwas verfolgt, als er anscheinend mutlos stehen blieb,
und mit entsetzlicher Angst in den Mienen streckte
der Mann seine Arme aus, flehend, beschwörend. Er
strengte seine Augen an und beschattete sie mit der
Hand, wie um noch einmal in weiter Ferne das Wesen-
lose zu entdecken. Schließlich sank die Hand, und
der gespannte Ausdruck seines Gesichts verkehrte sich
in stumpfe Ausdruckslosigkeit; er wandte sich und
schleppte sich den Weg zurück, den er gekommen.

Die Sonne goss ihre letzte Glut über den Forst, dann
erlosch sie. Die Stämme der Kiefern streckten sich wie
bleiches, verwestes Gebein zwischen die Wipfel hinein,
die wie grauschwarze Moderschichten auf ihnen laste-
ten. Das Hämmern eines Spechtes durchdrang die Stille.
Durch den kalten, stahlblauen Himmelsraum ging ein
einziges, verspätetes Rosengewölk. Der Windhauch
wurde kellerkalt, sodass es den Wärter fröstelte. Alles
war ihm neu, alles fremd. Er wusste nicht, was das war,
worauf er ging, oder das, was ihn umgab. Da huschte ein
Eichhorn über die Strecke, und Thiel besann sich. Er

musste an den lieben Gott denken, ohne zu wissen, warum. »Der liebe Gott springt über den Weg, der liebe Gott springt über den Weg.« Er wiederholte diesen Satz mehrmals, gleichsam um auf etwas zu kommen, das damit zusammenhing. Er unterbrach sich, ein Lichtschein fiel in sein Hirn: »Aber mein Gott, das ist ja Wahnsinn.« Er vergaß alles und wandte sich gegen diesen neuen Feind. Er suchte Ordnung in seine Gedanken zu bringen, vergebens! es war ein haltloses Streifen und Schweifen. Er ertappte sich auf den unsinnigsten Vorstellungen und schauderte zusammen im Bewusstsein seiner Machtlosigkeit.

Aus dem nahen Birkenwäldchen kam Kindergeschrei. Es war das Signal zur Raserei. Fast gegen seinen Willen musste er darauf zueilen und fand das Kleine, um welches sich niemand mehr gekümmert hatte, weinend und strampelnd ohne Bettchen im Wagen liegen. Was wollte er tun? Was trieb ihn hierher? Ein wirbelnder Strom von Gefühlen und Gedanken verschlang diese Fragen.

»Der liebe Gott springt über den Weg«, jetzt wusste er, was das bedeuten wollte. »Tobias« – sie hatte ihn gemordet – Lene – ihr war er anvertraut – »Stiefmutter, Rabenmutter«, knirschte er, »und ihr Balg lebt.« Ein roter Nebel umwölkte seine Sinne, zwei Kinderaugen durchdrangen ihn; er fühlte etwas Weiches, Fleischiges zwischen seinen Fingern. Gurgelnde und pfeifende Laute, untermischt mit heiseren Ausrufen, von denen er nicht wusste, wer sie ausstieß, trafen sein Ohr.

Da fiel etwas in sein Hirn wie Tropfen heißen Siegellacks, und es hob sich wie eine Starre von seinem Geist. Zum Bewusstsein kommend, hörte er den Nachhall der Meldeglocke durch die Luft zittern.

Mit eins begriff er, was er hatte tun wollen: seine Hand löste sich von der Kehle des Kindes, welches sich

---

23 **Balg:** Schimpfwort für: Kind

unter seinem Griffe wand. – Es rang nach Luft, dann begann es zu husten und zu schreien.

»Es lebt! Gott sei Dank, es lebt!« Er ließ es liegen und eilte nach dem Übergange. Dunkler Qualm wälzte sich fernher über die Strecke, und der Wind drückte ihn zu Boden. Hinter sich vernahm er das Keuchen einer Maschine, welches wie das stoßweise gequälte Atmen eines kranken Riesen klang.

Ein kaltes Zwielicht lag über der Gegend.

Nach einer Weile, als die Rauchwolken auseinandergingen, erkannte Thiel den Kieszug, der mit geleerten Loren zurückging und die Arbeiter mit sich führte, welche tagsüber auf der Strecke gearbeitet hatten.

Der Zug hatte eine reichbemessene Fahrzeit und durfte überall anhalten, um die hie und da beschäftigten Arbeiter aufzunehmen, andere hingegen abzusetzen. Ein gutes Stück vor Thiels Bude begann man zu bremsen. Ein lautes Quietschen, Schnarren, Rasseln und Klirren durchdrang weithin die Abendstille, bis der Zug unter einem einzigen, schrillen, langgedehnten Ton still stand.

Etwa fünfzig Arbeiter und Arbeiterinnen waren in den Loren verteilt. Fast alle standen aufrecht, einige unter den Männern mit entblößtem Kopfe. In ihrer aller Wesen lag eine rätselhafte Feierlichkeit. Als sie des Wärters ansichtig wurden, erhob sich ein Flüstern unter ihnen. Die Alten zogen die Tabakspfeifen zwischen den gelben Zähnen hervor und hielten sie respektvoll in den Händen. Hie und da wandte sich ein Frauenzimmer, um sich zu schneuzen. Der Zugführer stieg auf die Strecke herunter und trat auf Thiel zu. Die Arbeiter sahen, wie er ihm feierlich die Hand schüttelte, worauf Thiel mit langsamem, fast militärisch steifem Schritt auf den letzten Wagen zuschritt.

12 **Loren:** offenen Güterwaggons

Keiner der Arbeiter wagte ihn anzureden, obgleich sie ihn alle kannten.

Aus dem letzten Wagen hob man soeben das kleine Tobiaschen.

Es war tot.

Lene folgte ihm; ihr Gesicht war bläulichweiß, braune Kreise lagen um ihre Augen.

Thiel würdigte sie keines Blickes; sie aber erschrak beim Anblick ihres Mannes. Seine Wangen waren hohl, Wimpern und Barthaare verklebt, der Scheitel, so schien es ihr, ergrauter als bisher. Die Spuren vertrockneter Tränen überall auf dem Gesicht, dazu ein unstetes Licht in seinen Augen, davor sie ein Grauen ankam.

Auch die Tragbahre hatte man wieder mitgebracht, um die Leiche transportieren zu können.

Eine Weile herrschte unheimliche Stille. Eine tiefe, entsetzliche Versonnenheit hatte sich Thiels bemächtigt. Es wurde dunkler. Ein Rudel Rehe setzte seitab auf den Bahndamm. Der Bock blieb stehen mitten zwischen den Geleisen. Er wandte seinen gelenken Hals neugierig herum, da pfiff die Maschine, und blitzartig verschwand er samt seiner Herde.

In dem Augenblick, als der Zug sich in Bewegung setzen wollte, brach Thiel zusammen.

Der Zug hielt abermals, und es entspann sich eine Beratung über das, was nun zu tun sei. Man entschied sich dafür, die Leiche des Kindes einstweilen im Wärterhaus unterzubringen und statt ihrer den durch kein Mittel wieder ins Bewusstsein zu rufenden Wärter mittelst der Bahre nach Hause zu bringen.

Und so geschah es. Zwei Männer trugen die Bahre mit dem Bewusstlosen, gefolgt von Lene, die, fortwährend schluchzend, mit tränenüberströmtem Gesicht den Kinderwagen mit dem Kleinsten durch den Sand stieß.

Wie eine riesige purpurglühende Kugel lag der Mond zwischen den Kiefernschäften am Waldesgrund. Je höher er rückte, umso kleiner schien er zu werden, umso mehr verblasste er. Endlich hing er, einer Ampel vergleichbar, über dem Forst, durch alle Spalten und Lücken der Kronen einen matten Lichtdunst drängend, welcher die Gesichter der Dahinschreitenden leichenhaft anmalte.

Rüstig, aber vorsichtig schritt man vorwärts, jetzt durch enggedrängtes Jungholz, dann wieder an weiten, hochwaldumstandenen Schonungen entlang, darin sich das bleiche Licht wie in großen, dunklen Becken angesammelt hatte.

Der Bewusstlose röchelte von Zeit zu Zeit oder begann zu phantasieren. Mehrmals ballte er die Fäuste und versuchte mit geschlossenen Augen sich emporzurichten.

Es kostete Mühe, ihn über die Spree zu bringen; man musste ein zweites Mal übersetzen, um die Frau und das Kind nachzuholen.

Als man die kleine Anhöhe des Ortes emporstieg, begegnete man einigen Einwohnern, welche die Botschaft des geschehenen Unglücks sofort verbreiteten.

Die ganze Kolonie kam auf die Beine.

Angesichts ihrer Bekannten brach Lene in erneutes Klagen aus.

Man beförderte den Kranken mühsam die schmale Stiege hinauf in seine Wohnung und brachte ihn sofort zu Bett. Die Arbeiter kehrten sogleich um, um Tobiaschens Leiche nachzuholen.

Alte, erfahrene Leute hatten kalte Umschläge angeraten, und Lene befolgte ihre Weisung mit Eifer und Umsicht. Sie legte Handtücher in eiskaltes Brunnenwasser und erneuerte sie, sobald die brennende Stirn des Bewusstlosen sie durchhitzt hatte. Ängstlich beobachtete

---

4 **Ampel:** Hängelampe

sie die Atemzüge des Kranken, welche ihr mit jeder Minute regelmäßiger zu werden schienen.

Die Aufregungen des Tages hatten sie doch stark mitgenommen, und sie beschloss, ein wenig zu schlafen, fand jedoch keine Ruhe. Gleichviel ob sie die Augen öffnete oder schloss, unaufhörlich zogen die Ereignisse der Vergangenheit daran vorüber. Das Kleine schlief. Sie hatte sich entgegen ihrer sonstigen Gewohnheit wenig darum bekümmert. Sie war überhaupt eine andre geworden. Nirgend eine Spur des früheren Trotzes. Ja, dieser kranke Mann mit dem farblosen, schweißglänzenden Gesicht regierte sie im Schlaf.

Eine Wolke verdeckte die Mondkugel, es wurde finster im Zimmer, und Lene hörte nur noch das schwere, aber gleichmäßige Atemholen ihres Mannes. Sie überlegte, ob sie Licht machen sollte. Es wurde ihr unheimlich im Dunkeln. Als sie aufstehen wollte, lag es ihr bleiern in allen Gliedern, die Lider fielen ihr zu, sie entschlief.

Nach Verlauf von einigen Stunden, als die Männer mit der Kindesleiche zurückkehrten, fanden sie die Haustüre weit offen. Verwundert über diesen Umstand, stiegen sie die Treppe hinauf, in die obere Wohnung, deren Tür ebenfalls weit geöffnet war.

Man rief mehrmals den Namen der Frau, ohne eine Antwort zu erhalten. Endlich strich man ein Schwefelholz an der Wand, und der aufzuckende Lichtschein enthüllte eine grauenvolle Verwüstung.

»Mord, Mord!«

Lene lag in ihrem Blut, das Gesicht unkenntlich, mit zerschlagener Hirnschale.

»Er hat seine Frau ermordet, er hat seine Frau ermordet!«

Kopflos lief man umher. Die Nachbarn kamen, einer

---

26 f.: **Schwefelholz:** Streichholz mit Schwefelkopf

stieß an die Wiege. »Heiliger Himmel!« Und er fuhr zurück, bleich, mit entsetzensstarrem Blick. Da lag das
Kind mit durchschnittenem Halse.

Der Wärter war verschwunden; die Nachforschungen,
welche man noch in derselben Nacht anstellte, blieben
erfolglos. Den Morgen darauf fand ihn der diensttuende
Wärter zwischen den Bahngeleisen und an der Stelle sit-
zend, wo Tobiaschen überfahren worden war.

Er hielt das braune Pudelmützchen im Arm und lieb-
koste es ununterbrochen wie etwas, das Leben hat.

Der Wärter richtete einige Fragen an ihn, bekam jedoch keine Antwort und bemerkte bald, dass er es mit
einem Irrsinnigen zu tun habe.

Der Wärter am Block, davon in Kenntnis gesetzt, er-
bat telegraphisch Hilfe.

Nun versuchten mehrere Männer ihn durch gutes Zu-
reden von den Geleisen fortzulocken; jedoch vergebens.

Der Schnellzug, der um diese Zeit passierte, musste
anhalten, und erst der Übermacht seines Personals ge-
lang es, den Kranken, der alsbald furchtbar zu toben begann, mit Gewalt von der Strecke zu entfernen.

Man musste ihm Hände und Füße binden, und der in-
zwischen requirierte Gendarm überwachte seinen Trans-
port nach dem Berliner Untersuchungsgefängnisse, von
wo aus er jedoch schon am ersten Tage nach der Irrenab-
teilung der Charité überführt wurde. Noch bei der Ein-
lieferung hielt er das braune Mützchen in Händen und
bewachte es mit eifersüchtiger Sorgfalt und Zärtlichkeit.

---

14 **Block:** Station zwischen zwei Bahnhöfen | 23 **requirierte Gendarm:**
angeforderter Landpolizist | 26 **Charité:** (frz.) berühmtes Berliner
Krankenhaus, 1710 gegründet

Anhang

Der Text der vorliegenden Ausgabe folgt der Edition:

Gerhart Hauptmann: Sämtliche Werke. Centenar-Ausgabe. Hrsg. von Hans-Egon Hass. Bd. 6: Erzählungen, Theoretische Prosa. Berlin: Propyläen-Verlag, 1963.

Die Orthographie wurde auf der Grundlage der neuen amtlichen Rechtschreibregeln behutsam modernisiert, die Interpunktion folgt der Druckvorlage.

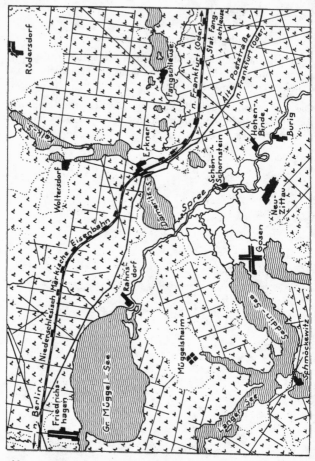

Abb. 1: Die Bahnstrecke Berlin – Frankfurt (Oder) – Breslau (heute: Wrocław) südöstlich Berlins um Erkner vor 1890. Thiels Wärterhäuschen ist östlich von Erkner, vielleicht zwischen Erkner und Fangschleuse, zu denken

━┅┅━ = Eisenbahnstrecke mit Blockstelle oder Bahnwärterhaus

2. Anmerkungen   49

3,3 Neu-Zittau: Dorf bei Berlin (zu den Orten vgl. die Karte S. 48).

3,20 herkulischen: abgeleitet von Herkules (griech.: Herakles); mythischer Held der griech. Antike: riesigen, kräftigen.

7,14 »Bude«: Bahnwärterhäuschen (zur Orientierung für Zugführer mit einer übergroßen Nummer versehen).

8,2 Ekstase, die sich zu Gesichten steigerte: tiefe religiöse Versenkung mit Visionen.

8,6 mystischen: hier: übersinnlichen.

9,3f. Telegraphenarbeiter: Arbeiter zur Verlegung und Wartung der Telegrafenleitungen, die seit 1855 entlang der Bahnlinien verliefen.

12,7f. Kalk … in den Mund steckte: evtl. ein instinktives Verhalten, um eine unzulängliche Ernährung (Kalkmangel) auszugleichen.

18,32 Fahne und Patronentasche: rote Fahne und Tasche mit Knallpatronen, die ein Bahnwärter für eventuelle Alarmsignale an den Zug für jeden Außendienst mitzunehmen hatte.

19,27 Säulenarkaden: Wegen der sich berührenden Baumkronen wirken die Baumstämme wie Säulen eines Bogen- oder Arkadengangs.

22,20 Unterlassungssünden: »Sünden«, die aus Untätigkeit entstehen, weil das eigentlich Notwendige unterlassen wurde.

25,10 Blutregen: eigentlich ein von rotem Staub gefärbter Regen; Blutregen galt schon in der Antike als böses Omen.

26,18 feingeklöppelten: mit Garnspulen kunstvoll hergestellten; Klöppeln heißt das Verfahren zur Herstellung von Spitzen.

»Gerhart Hauptmann wurde am 15. November 1862 im nieder-
schlesischen Ober-Salzbrunn geboren und starb am 6. Juni 1946 auf
seinem langjährigen Wohnsitz Wiesenstein in Agnetendorf im Rie-
sengebirge. Er war der jüngste Sohn des Gastwirts und Hotelbe-
sitzers Robert Hauptmann (1824–1898) und seiner Frau Marie
(1827–1906), geborene Straehler. Nach der Dorfschule in Ober-Salzbrunn besuchte Hauptmann von 1874 an bis zur Quarta das Real-
gymnasium am Zwinger in Breslau. 1878 begann er bei Verwandten
auf den Gütern Lohnig und Lederose eine Landwirtschaftslehre,
mußte sie aber nach einem Jahr schon wieder abbrechen, weil die
körperliche Überanstrengung zu einer Lungenschädigung geführt
hatte. Der anschließende Versuch, das Einjährigen-Examen nachzuholen, blieb erfolglos. Er wurde aber im Herbst 1880 in die
Bildhauerklasse der Kunst- und Gewerbeschule in Breslau aufge-
nommen, wo er es – nach einem zeitweiligen Ausschluß wegen
mangelnder Disziplin und geringer Fortschritte – bis 1882 aushielt.
Der erste Winter auf der Kunstschule war, wie Hauptmann rück-
blickend schrieb, ›wohl das übelste‹, was er je ›durchgemacht‹ hat.[1]

Aus bitterer Armut erlöste ihn Marie Thienemann, die Tochter
des wohlhabenden Dresdner Großkaufmanns Berthold Thienemann, die er im September 1881 kennengelernt und mit der er sich
wenig später heimlich verlobt hatte. Zum Wintersemester 1882/83
erhielt Hauptmann die Zulassung zum Studium an der Universität
Jena, aber auch hier hielt es ihn nicht lange. Marie ermöglichte ihm
dann durch finanzielle Zuwendung eine Mittelmeerreise und anschließend einen Aufenthalt in Rom, wo er sich – allerdings vergeblich – als Bildhauer versuchte. Im Sommer und Herbst 1884 besuchte er die Zeichenklasse der Königlichen Akademie in Dresden,
anschließend immatrikulierte er sich an der Universität Berlin, um
Geschichte zu studieren, interessierte sich aber mehr für das Thea-
terleben als für das Studium. Am 5. Mai 1885 heirateten Marie Thienemann und Gerhart Hauptmann; [...] nach einigen Monaten in
Berlin ließ sich das Paar, um Hauptmanns angegriffene Gesundheit
zu schonen, in Erkner bei Berlin nieder. Ihre Existenz war durch
Maries Vermögen gesichert, Hauptmann konnte zum Unterhalt zu-

---

1 Gerhart Hauptmann, *Sämtliche Werke. Centenar-Ausgabe*, hrsg. von Hans-
Egon Hass, Bd. 7. Berlin [u.a.] 1962, S. 798 f.

nächst nichts beitragen. Bis 1888 war er in allem, was er begonnen hatte, erfolglos. Nicht nur alle Versuche, eine Bildungs- oder Berufs-qualifikation zu erwerben, hatte er weit vor Erreichen des Ziels ab-gebrochen, auch seine literarischen Projekte waren gescheitert. Erst mit *Bahnwärter Thiel* (1888) begann ein neuer Abschnitt in Haupt-manns Leben. Mit dieser ›Novellistischen Studie‹ trat er als ›Dichter in die Welt‹[2], und wenige Jahre später schon war er zum bedeu-tendsten Dramatiker des Naturalismus geworden.«

Franz-Josef Payrhuber: Gerhart Hauptmann. Stuttgart: Reclam, 1998. (Reclams Universal-Bibliothek. 15215.) S. 15 f.

»Noch war eine Klippe zu umschiffen, bevor ich meine neue Ehe[3] in größerer Ruhe genießen konnte: die Gestellung beim Militär.

Man kann sich denken, welche Unruhe sich meiner und Marys bemächtigen mußte, als der Termin dafür herannahte. Er kam. Man erklärte mich für untauglich.

Leider trat, als diese große Sorge endlich beseitigt war, wieder Bluthusten bei mir auf, woraus sich ergab, daß die ärztliche Verfü-gung, die mich glücklich vom Militär befreite, auch eine düstere Seite hatte.

Ich mußte aufs Land, das war mir klar, sofern es mit mir nicht schnell bergab gehen sollte. So gaben wir denn die Wohnung auf, ohne Rücksicht auf einen langen Vertrag, und zogen in den Berliner Vorort Erkner.

Diesem Wechsel des Wohnorts verdanke ich es nicht nur, daß ich mein Wesen bis zu seinen reifen Geistesleistungen entwickeln konnte, sondern daß ich überhaupt noch am Leben bin. Nicht nur meine ersten Geisteskinder, sondern auch drei von meinen vier Söhnen sind in Erkner geboren. Es lohnt vielleicht, die Hieroglyphe des neuen Lebensabschnitts zu prägen, der dort begann und, von einer glänzenden Episode durchbrochen, vollendet wurde: unter Hoffen und Ängsten, Gefahren, Kämpfen, Niederlagen und Siegen. Alles natürlich nur im eigensten Kreis.

Unser Leben war schön. Natur und Boden wirkten fruchtbar be-lebend auf uns. Wir waren entlegene Kolonisten.

Die märkische Erde nahm uns an, der märkische Kiefernforst nahm uns auf. Kanäle, schwarz und ohne Bewegung, laufen durch

2 Ebd., S. 1044.
3 Hauptmann hatte am 5. Mai 1885 geheiratet.

ihn hin, morastige Seen und große verlassene Tümpel unterbrechen ihn, mit Schlangenhäuten und Schlangen an ihren Ufern.

Es war im Herbst, als wir unsere abgelegene Villa bezogen und einrichteten.

[...]

So war ich instinktgemäß zur Natur zurückgekehrt. Mary liebte wie ich das Landleben. Einsamkeiten und Verlassenheiten schreckten uns nicht. Das neue Dasein stand zu dem, das ich in Dresden, Rom und Hamburg geführt hatte, im geraden Gegensatz. Ich lebte ohne Aktivität. Der dreifache Kampf in Rom: mit dem nassen Ton, mit den Menschen und mit den Typhusbazillen, war nicht mehr.

Dafür rang ich mit dem Gespenst des Bluthustens. Es verfolgte mich überall. Stundenlange einsame Wege führten mich in Begleitung meiner Hunde durch den Kiefernforst: mein Leben, meine Lage, meine fernere Möglichkeit zu überdenken die beste Gelegenheit. Oft mitten im Forst richtete sich das grauenvolle Gespenst vor mir auf. Zitternd nahm ich da etwa auf einem Baumstumpf Platz, einen Blutsturz und mein vermeintliches Ende erwartend.

[...] In Erkner nahm ich mein altes Leben mit Wanderungen und Beobachtungen aller Art wieder auf. Ich machte mich mit den kleinen Leuten bekannt, Förstern, Fischern, Kätnerfamilien und Bahnwärtern, betrachtete eine Waschfrau, ein Spitalmütterchen eingehend und mit der gleichen Liebe, als wenn sie eine Trägerin von Szepter und Krone gewesen wäre. Ich unterhielt mich mit den Arbeitern einer nahen chemischen Fabrik über ihre Leiden, Freuden und Hoffnungen und fand hier, in nächster Nähe Berlins, besonders auf den einsamen Dörfern, ein Menschenwesen, das sich seit einem halben Jahrtausend und länger unverändert erhalten hatte. Daß es ein geeinigtes Deutschland gab, wußten sie nicht. Davon, daß ein Königreich Sachsen, ein Königreich Bayern, ein Königreich Württemberg bestand, hatten sie nie gehört. Es gab einen Kaiser in Berlin: viele wußten noch nichts davon.

[...] Während mein zweiter Sohn geboren wurde, schrieb ich an einer Novelle ›Bahnwärter Thiel‹, die ich im späteren Frühjahr beendete. Sie wurde von Michael Georg Conrad in München erworben und in seiner Zeitschrift abgedruckt.«

Gerhart Hauptmann: Sämtliche Werke. Centenar-Ausgabe. Hrsg. von Hans-Egon Hass. Bd. 7. Berlin [u.a.]: Propyläen, 1962. S. 1027f., 1043f.

Abb. 2: Gerhart Hauptmann und Marie Thienemann (Foto von 1885)

4. Frühe Rezeption

Abb. 3: Umschlag der ersten Buchausgabe (1892)
von Hans Baluschek

Die »novellistische Studie« *Bahnwärter Thiel* ist 1887 in Erkner inmitten der Spreewälder am südöstlichen Rande Berlins entstanden.
Die 1888 erfolgte Veröffentlichung in der Zeitschrift *Die Gesellschaft*, dem Organ der Münchner Naturalisten, führte zu einer ersten literarischen Anerkennung des späteren Literaturnobelpreis-
trägers (1912).

4.1 »Eine blutige Familiengeschichte aus der märkischen Heide«

Der damalige Herausgeber der Literaturzeitschrift *Die Gesellschaft*,
Michael Georg Conrad, erinnert sich an die Resonanz der Erstver-
öffentlichung von 1888:

»Im Frühling 1887[4] erhielt ich Gerhart Hauptmanns erstes Novel-len-Manuskript aus Zürich zugeschickt. Es war der ›Bahnwärter Thiele‹ [!], eine blutige Familiengeschichte aus der märkischen Kie-fernheide. Manuskript wie Begleitbrief waren von der Hand des Dichters sehr sorglich in lateinischer Schrift auf große Folioseiten geschrieben. Jedes Blatt mit dem Trockenstempel: ›Gerhart Haupt-mann‹ abgestempelt. Wie das Äußere, so war der Inhalt: von voll-endeter künstlerischer Ruhe, Sicherheit und Sorgfalt. Aus dem Le-serkreise erhielt ich bald begeisterte Zuschriften: Man habe seit Zola[5] keine bessere Novelle in Deutschland gelesen. Die Technik des Vortrages sei verblüffend. Voll herzlicher Freude teilte ich Hauptmann die Wirkung seiner ersten Novelle mit.«

M.G.C. (Hrsg.): Von Emile Zola bis Gerhart Hauptmann. Erinnerungen zur Geschichte der Moderne. Leipzig: Seemann, 1902. S. 78.

4.2 »Durch die ganze Dichtung geht ein schwermütiger lyrischer Zug«

Der Schriftsteller Felix Hollaender (1867–1931) besprach die Buch-ausgabe von 1892 in der Zeitschrift *Freie Bühne für den Entwick-lungskampf der Zeit*. Der Theaterverein *Freie Bühne* war 1889 in Ber-lin gegründet worden, um die preußische Zensur für moderne (also naturalistische) Stücke durch geschlossene Veranstaltungen nur für Mitglieder zu umgehen:

»Bahnwärter Thiel heiratete ein schmächtiges, blasses Frauenzim-merchen, das sich dem knochigen Manne mit dem Kinderherzen anschmiegt. Eine Zeit zarten, lauen Glückes, bis Frau Thiel, der Ehe nicht gewachsen, frühe Sterbeglocken läuten. Als der Bahnwärter, dieweil ein kleines Lebewesen vom ersten Bette da ist, zum zweiten Male freite, hat sich ihm unbewußt über der Gestalt der Seligen ein feiner, silberiger Schimmer gebreitet. Und jetzt erst setzt die No-velle ein mit ihrer großen und erschütternden Tragik – ein sexuelles Problem beginnt, dessen sensitive[6] Eigenart mir in der deutschen

---

4 Hauptmann war nicht 1887, sondern von Mai bis Herbst 1888 in Zürich.

5 Émile Zola (1840–1902), französischer Schriftsteller und Journalist; Begrün-der und Leitfigur der gesamteuropäischen literarischen Strömung des Na-turalismus. Sein Roman *Germinal* (1885) wurde zum Vorbild naturalisti-scher Prosa.

6 *sensitiv*: empfindsam.

Litteratur [sic!] einzig dazustehen scheint. Wie der Bahnwärter vor den breiten Hüften und dem schwellenden Busen seines gesundheitstrotzenden, brutalen Weibes jedwede Manneskraft verliert – wie er lüsterne, begehrliche Blicke nach ihr wirft – zu ihrem bettelnden Sklaven wird, der nach ihrer Pfeife tanzt, der vor jedem ihrer bösen Blicke bebt und doch die Zeit nicht erwarten kann, wo er nach verrichtetem Dienste zu ihr heimkehren darf, wie er, der seinem armen Wurme eine Mutter geben wollte, sich scheuen Blickes nicht zu mucksen traut, wenn der Kleine mit dem kreidigen Gesicht und dem roten, struppigen Haar gestoßen und gepufft wird – – – das ist in einer Fülle meisterhafter Züge wiedergegeben. Und doch sehe ich hierin nicht den eigentlichen Schwerpunkt, den innerlichen Wert der Dichtung. Wäre in der Novelle nur nach dieser Richtung das Problem gestaltet worden, sie hätte niemals auf eine tiefere Bedeutung Anspruch machen können.

Aber Hauptmann erweitert seinen Vorwurf, schafft einen Konflikt, der in sich den tragischen Ausgang bedingt: der Bahnwärter schämt sich seiner niedrigen Triebe, er schämt sich ihrer im Andenken an die verstorbene Frau, und je stärker seine sinnliche Liebe wächst, um so tiefer fühlt er das Bedürfnis mit der Heimgegangenen seinen Kult zu treiben in der einsamen Stille seines Wärterhäuschens.

In dieser Kontrastierung grober Sinnlichkeit und übergeistigter, fast religiöser Liebe, die in mystische Stimmungen überschlägt, liegt der Novelle Eigenart. Alles Andere wird daraus begreiflich. Man fühlt, daß das Bahnunglück, das zu dem ein wenig sensationellen Schlusse führt, nur der äußere Anlaß ist, man fühlt, daß irgend ein Ereignis eintreten muß, um die tragische Katastrophe herbeizuführen.

Durch die ganze Dichtung geht ein schwermütiger, lyrischer Zug, wie denn überhaupt lyrisches Empfinden Hauptmann erb- und eigentümlich ist. Das kommt natürlich in der wehmütigen Stimmung der Landschaft am stärksten zum Ausdruck, die ich in ihrer feinen Farbenabtönung bei den Neueren nur noch in den Skizzen Schlafs[7] und in den Spreewald-Schilderungen Bölsches[8] gefunden habe.

Die Fülle feiner Einzelheiten, die Hauptmann fast verschwende-

---

7 Johannes Schlaf (1862–1941), Schriftsteller.
8 Wilhelm Bölsche (1861–1939), ebenfalls Schriftsteller. Schlaf und Bölsche gelten als Mitbegründer des Naturalismus.

risch bei der Charakteristik angewandt hat, vermag ich kaum anzu-
deuten, ebenso wie es bei ihm überflüssig erscheint, die schlichte
Wahrhaftigkeit der Vorgänge zu accentuieren. Nur darauf möchte
ich noch ein besonderes Gewicht legen, von wie vielen Seiten die
Figur betrachtet ist, und wie durch die vorangegangenen seelischen
Erregungen das tragische Ende des armen Kerls psychologisch be-
gründet ist.«

F. H.: Hauptmann und Sudermann als Novellisten. In: Freie Bühne für
den Entwickelungskampf der Zeit 3 (1892) S. 767–769. [Auszug.]

4.3 »Bietet unser Zeitalter … nichts, was der Aufgabe eines Dichters würdiger wäre?«

Der Rezensent E. B. in der sozialistischen »Revue des geistigen und
öffentlichen Lebens« *Die Neue Zeit*, vermutlich der sozialdemokra-
tische Theoretiker und Politiker Eduard Bernstein, vermisst 1893 an
der Novelle ein proletarisches Klassenbewusstsein und damit ein
engagiertes Eintreten für eine sozialistische Gesellschaft:

»Hauptmann hätte seine Skizzen auch psychopathische Studien
nennen können, psychopathische Studien[9] in novellistischer Form.
Nun steht es dem Dichter gewiß frei, seinen Stoff nach seinem Be-
lieben zu wählen, soweit derselbe nur das Interesse zu erwecken,
unser Herz zu bewegen vermag. Und daß dazu die menschliche
Seele in ihren verschiedenartigen Manifestationen, je nachdem also
auch in ihren Krankheitszuständen, in hohem Grade gehört, wird
Niemand bestreiten wollen. Dennoch – wie kommt es, daß ein
Dichter von der Begabung Hauptmann's, mit so großer Vorliebe immer und immer wieder sich auf die Schilderung kranker Seelen und
seelischer Erkrankungen verlegt, mit Vorliebe Schwächlinge oder
dem Wahnsinn nahe, in dem Wahnsinn naher Verfassung sich be-
findende Persönlichkeiten schildert? Bietet unser Zeitalter wirklich
nichts, was der Aufgabe eines Dichters würdiger wäre – zumal eines
Dichters, der in dem größten Kampf der Epoche auf der Seite der
Kämpfer für eine neue Gesellschaft steht? Dieser große Kampf, der
täglich sich hoffnungsvoller gestaltet, und dieser pessimistische Zug
– in welch krassem Gegensatz stehen sie zu einander. Wenn die

---

9 *psychopathische Studien:* wissenschaftlich orientierte Untersuchungen über
Menschen mit schweren Persönlichkeitsstörungen.

›modernen‹ Dichter der alten Gesellschaft Pessimisten sind und sich in der Grübelei über die Schwächen der menschlichen Seele gefallen, so ist das wohl begreiflich und der Situation ihrer Klasse angemessen. Aber ein Dichter der neuen Zeit – und wir möchten Hauptmann gern einen solchen nennen – sollte mit anderen Augen sehen, als sie. Er braucht die individuellen Schwächen nicht zu ignoriren, gewiß nicht, aber sie sollten ihn nicht so in Anspruch nehmen, daß er über sie das Gesunde, das unsere Zeit bietet, zu vergessen scheint. Der Dichter ist mehr als ein bloßer Kliniker.«

E.B.: [Rezension.] In: Die Neue Zeit 11 (1893) H. 1. S. 111 f. [Auszug.]

5. Der Naturalismus (1880–1900) – Kunstrevolution zu Beginn der Moderne

Angesichts der rasanten Entwicklung der Naturwissenschaften in der zweiten Hälfte des 19. Jahrhunderts und der dramatischen Veränderung der politisch-sozialen Wirklichkeit im beginnenden Industriezeitalter forderte eine junge Schriftstellergeneration eine Abkehr vom Wirklichkeitsbegriff des Poetischen Realismus[10]. Das Aufgreifen der Schattenseiten der Industrialisierung in der Dichtkunst (soziales Elend, Ausbeutung der Arbeitskraft) und damit von bisher tabuisierten Themen (Elendsviertel, Mietskasernen, Kneipen und Prostitution) führte zu einem neuen Ästhetikbegriff. Die Lehre von einem absoluten, zeitlos gültigen Kunstwerk (normative Ästhetik) und einem Schönheitsbegriff, der sich einseitig an der Klassik und Romantik orientierte, wich der Vorstellung von einem Kunstwerk, das Ausdruck der jeweiligen Epoche und deren Wirklichkeit mit entsprechenden Darstellungsmitteln sein müsse (vgl. Kap. 5.1, S. 59: Conrad Alberti). Analog zu den Verfahren und Erkenntnissen der Naturwissenschaften sollte der Schriftsteller den Menschen nach Faktoren wie Erbmasse, Herkunft, sozialem Umfeld, Zeitumständen und Psyche analysieren, um so das Handeln der Figuren aus dem Zusammenwirken dieser Faktoren zu entwickeln. Eine solche Determination des Menschen schien unvereinbar mit der Annahme einer Willensfreiheit des Menschen (vgl. Kap. 5.2, S. 61: Wilhelm Bölsche). An die Stelle einer metaphysischen Spekulation trat so ein Kausalgefüge, das den Menschen aus den Bedingungen seines Milieus erklärte (vgl. Kap. 5.3, S. 63: Karl Bleibtreu).

5.1 Conrad Alberti, *Natur und Kunst*

»Die alte Ästhetik, wie wir sie alle in Hörsälen und aus Büchern gekannt haben, ging aus von dem Begriff der absoluten Schönheit. Man bemühte sich festzustellen: was ist unter allen Umständen

---

10 *Poetischer Realismus:* Literaturepoche (1850–90), die sich mit ihrer Orientierung an der Wirklichkeit von der idealistischen Weltsicht der Klassik und Romantik abwandte. In der Auseinandersetzung des Menschen mit der Gesellschaft wird eine sittliche Weltordnung erkennbar, die den Menschen zu ethischem Handeln verpflichtet. Typisch für diese Epoche ist eine oft eher verklärende Gestaltung der bürgerlichen Welt in der Auswahl der Themen und der Art der poetischen Gestaltung.

schön? Wo findet sich dieses Schöne in der Natur? wo im menschlichen Empfindungsleben? Welche Verwandlungen, Verkleidungen,
Mischungen kann das Schöne vornehmen? Was ist unter allen Umständen häßlich? Welche Zwischenstufen liegen zwischen dem
Schönen und dem Häßlichen? Wenn man dies nach diesem vorher
festgestellten Schema untersucht, wenn man bewiesen hatte, was
man beweisen wollte, wenn man womöglich eine fortlaufende
Reihe solcher Zwischenstufen (z.B. das Erhabene, das Groteske, das
Anmutige, das Reizende u.a.) aufgezählt hatte, so glaubte man wirklich eine Ästhetik geschrieben [zu] haben. Welch rührende Selbst-
genügsamkeit! [...] Das A und O aber, das allen gemeinsame, war,
daß der Begriff der Schönheit etwas Unveränderliches, ewig Fest-
stehendes, Absolutes sei, daß das ästhetische Ideal in lauterster
Reinheit irgendwo existiere: auf dem Monde, im Himmel – nach
Baumgarten sogar im lieben Gott selbst –, in Wolkenkuckucksheim,
Nirwana oder sonstwo.

Aber eine solche Lehre ist falsch – falsch zunächst schon aus phi-
losophischen Gründen. Das Reich des Absolutismus ist in der Philosophie genauso zu Ende wie in der Politik. Alle absoluten Begriffe sind überwunden, in der Welt der Wirklichkeit, der sowohl
Kunst als Empfindung angehören, gibt es nichts Absolutes mehr.
Alle angezogenen Begriffe sind nur mnemotechnische Hilfsmittel[11], aber wie sie sind, entspricht ihnen nichts Wirkliches. Sowenig
es ein Nirwana oder ein Wolkenkuckucksheim oder einen Himmel
gibt, sowenig gibt es ein absolutes Schönheitsideal, das als solches
von Anbeginn der Welten bestände, und ebensowenig eine ideale
Schönheitsempfindung in der menschlichen Brust, und gar die
gleiche in mehreren oder vielen Busen. Gegenstand und Empfindung sind tatsächlich voneinander untrennbar. Die Schönheitsempfindung setzt einen realen Gegenstand voraus, an dem sie haf-
tet, und eine Person, die sie wirklich hat – die alte Ästhetik aber
kennt weder die Mannigfaltigkeit der empfindenden Naturen noch
die Mannigfaltigkeit der Gegenstände, welche Empfindungen her-
vorrufen. [...]

[...] Sie ging von den Begriffen aus statt von den Dingen, sie war
deduktiv statt induktiv, statt praktisch, empirisch, historisch, ver-
gleichend zu sein. Sie identifizierte Kunst mit Schönheit. Sie suchte
das Wesen der letzteren zuerst festzustellen und maß danach die

---

11 *mnemotechnische Hilfsmittel:* Merkhilfen, Gedächtnisstützen.

wirkliche Kunst. Die neue Ästhetik wird diesen Fehler vermeiden. Sie wird in den verschiedenen Künsten die Werke, Ideale und Anschauungen der verschiedenen Zeitabschnitte, Länder, Kulturen, der hervorragendsten Geister untersuchen und aus der Fülle des zusammengebrachten Stoffes eine Reihe Typenideale entwickeln, [...].

[...] Die alte Ästhetik kommt mit dem fertigen metaphysischen Ideal in die Welt der Kunst herein und mißt darnach die reale Kunst, überall tadelnd und nörgelnd. Die neue entwickelt den Begriff, das Wesen, das Ideal des Kunstwerks aus den vorhandenen wirklichen und untersucht die Bedingungen seines Entstehens und seiner Wirkung. Die alte Ästhetik ist die Lehre vom Schönen, die neue die Lehre vom Künstlerischen. Die Begriffe schön und häßlich in ihrer leeren Unbestimmtheit existieren für die neue Ästhetik überhaupt nicht mehr, sondern nur die Gegenpole künstlerisch und unkünstlerisch, und damit erscheint auch der Sinn des Wortes ›Ästhetik‹ viel richtiger getroffen. [...]

[...] Kein hochmütiges, verachtungsvolles Abwenden von der wirklichen Welt, keine Trauer um das, was hinter uns liegt, kein Verzweifeln an der Gegenwart und Zukunft, keine feige Flucht in die Seifenblasenländer des Traumes und der Romantik, wie die Kunst des Idealismus verlangt, die ihren stärksten und kennzeichnendsten Ausdruck in Schillers Gedichten ›Das Ideal und das Leben‹ und ›Die Götter Griechenlands‹ findet. Nein, festes Ergreifen und Darstellen der Wirklichkeit, in ihrer Wiedergabe plastische Verkörperung des Ewigen in der vorübergehenden Erscheinung, des unwandelbaren Naturgesetzes und der Kreuzungen desselben, künstlerische Durchbildung des scheinbar Anomalen, Krankhaften, Seltsamen durch bedeutsames Erscheinenlassen jener unabänderlichen, diese Zustände bewirkenden Naturgesetze und ihrer Kreuzungen.«

Conrad Alberti: Natur und Kunst. Beiträge zur Untersuchung ihres gegenseitigen Verhältnisses. Leipzig: Friedrich, [1890]. S. 4–94 f. [Auszüge.]

5.2 Wilhelm Bölsche, *Die naturwissenschaftlichen Grundlagen der Poesie*

»Die Basis unseres gesamten modernen Denkens bilden die Naturwissenschaften. Wir hören täglich mehr auf, die Welt und die Menschen nach metaphysischen Gesichtspunkten zu betrachten, die Erscheinungen der Natur selbst haben uns allmählich das Bild einer unerschütterlichen Gesetzmäßigkeit alles kosmischen Geschehens eingeprägt, dessen letzte Gründe wir nicht kennen, von dessen lebendiger Betätigung wir aber unausgesetzt Zeuge sind. Das vornehmste Objekt naturwissenschaftlicher Forschung ist dabei selbstverständlich der Mensch geblieben, und es ist der fortschreitenden Wissenschaft gelungen, über das Wesen seiner geistigen und körperlichen Existenz ein außerordentlich großes Tatsachenmaterial festzustellen, das noch mit jeder Stunde wächst, aber bereits jetzt von einer derartigen beweisenden Kraft ist, daß die gesamten älteren Vorstellungen, die sich die Menschheit von ihrer eigenen Natur auf Grund weniger exakter Forschung gebildet, in den entscheidendsten Punkten über den Haufen geworfen werden. Da, wo diese ältern Ansichten sich während der Dauer ihrer langen Alleinherrschaft mit andern Gebieten menschlicher Geistestätigkeit eng verknotet hatten, bedeutete dieser Sturz notwendig eine gänzliche Umbildung und Neugestaltung auch auf diesen verwandten Gebieten. Das bekannteste Beispiel hierfür ist die Religion, deren einseitig dogmatischer Teil durch die Naturwissenschaften zersetzt und zu völliger Umwandlung gezwungen wurde. Ein zweites Gebiet aber, das auch wesentlich in Frage kommt, ist die Poesie. [...]

Für den Dichter aber scheint mir in der Tatsache der Willensunfreiheit der höchste Gewinn zu liegen. Ich wage es auszusprechen: Wenn sie nicht bestände, wäre eine wahre realistische Dichtung überhaupt unmöglich. Erst indem wir uns dazu aufschwingen, im menschlichen Denken Gesetze zu ergründen, erst indem wir einsehen, daß eine menschliche Handlung, wie immer sie beschaffen sei, das restlose Ergebnis gewisser Faktoren, einer äußern Veranlassung und einer innern Disposition, sein müsse und daß auch diese Disposition sich aus gegebenen Größen ableiten lasse – erst so können wir hoffen, jemals zu einer wahren mathematischen Durchdringung der ganzen Handlungsweise eines Menschen zu gelangen und Gestalten vor unserm Auge aufwachsen zu lassen, die logisch sind wie die Natur.

Im Angesicht von Gesetzen können wir die Frage aufwerfen: Wie wird der Held meiner Dichtung unter diesen oder jenen Umständen handeln? Wir fragen zuerst: Wie wird er denken? Hier habe ich die äußere Ursache: Was findet sie in ihm vor? Was liegt als Erbe in seinem Geistesapparate, was hat die Bildung und Übung des Lebens darin angebahnt, welche fertigen Gedankenlinien wird jene äußere Tatsache erregen, wie werden diese sich hemmen oder befördern, welche wird siegen und den Willen schaffen, der die Handlung macht? Ich habe das Wort ›mathematisch‹ gebraucht. Ja, eine derartige Dichtung wäre in der Tat eine Art von Mathematik, [...].«

Wilhelm Bölsche: Naturwissenschaftliche Grundlagen der Poesie. Prolegomena einer realistischen Ästhetik. Leipzig: Reissner, 1887. S. 1–93. [Auszüge.]

5.3 Karl Bleibtreu, *Realismus und Naturwissenschaft*

»Die hier betonten Grundlagen der naturwissenschaftlichen Anschauung müssen die gesamte Ästhetik und das künstlerische Schaffen von Grund aus umformen, da die Begriffe von Schön und Häßlich, Recht und Unrecht sich hiernach naturgemäß modifizieren und eine neue gesunde Moral sich erbaut. Höchste Moral ist höchster Intellekt, höchster Intellekt ist höchste Moral. Nicht aber gelten mehr für den Dichter, welcher über den Dingen steht, die Phrasen all jener deduktiven Zwangsvoraussetzungen, deren Ideallügen die Weltautoritätler weiterpäppeln. Umsonst. Kein Gebildeter und Denkender wird sich z.B. heut die Unsterblichkeit der Seele mit deduktiver Metaphysik vorkäuen lassen. Wohl aber wird man einem modernen Menschen eine Fortdauer nach dem Tode beweisen dürfen aus der Lehre von der Erhaltung der Kraft. Das soll heißen: Die realistische Poesie der Zukunft kennt keinerlei Metaphysik mehr, außer als Symbolik für jene scheinbar transzendentalen immanenten Ideen, welche wir heut induktiv aus dem Naturleben heraus analysieren können.

Für die neue Poesie werden weder Bösewichter noch Heilige, weder Kretins noch Genies *geboren*. Sie *werden* erst zu dem, was sie sind, durch die auf sie wirkenden Verhältnisse. Man beginnt in jedem Beruf zaghaft und stümpernd, selbst das Genie; so beginnt auch das Kind stümpernd den Lebensberuf. Nur die Gehirnbazillen der vererbten Anlagen bleiben stets die gleichen von Anfang bis Ende. Es kommt nun darauf an, die Entwickelung oder teilweise Unterdrückung dieser Gehirnbazillen durch die Einflüsse der geologischen Lage zu erklären; denn mit dem bloßen pedantischen Herumreiten auf der ›Vererbung‹, wie Zola dies oft beliebt, ist noch gar nichts getan. [...]«

Karl Bleibtreu: Realismus und Naturwissenschaft. In: Literarisch-kritische Rundschau 1 (1888) S. 3f.

6. Sprache und Erzähltechnik

6.1 Neue Sprach- und Erzählmittel im Naturalismus

Die Prosaarbeiten von Arno Holz und Johannes Schlaf zeigen, dass die im Naturalismus angestrebte Verwissenschaftlichung der Literatur sich nicht nur auf ein von den positivistischen Konzepten Haeckels,[12] Comtes,[13] Mills[14] und Taines[15] beeinflusstes materialistisch-mechanistisches Menschen- und Gesellschaftsbild bezog, sondern zugleich zu neuen literarischen Darstellungsformen führte. Im Bestreben, die Wirklichkeit möglichst genau und objektiv in ihrer ganzen Komplexität zu erfassen, entwickelten sie das Verfahren des »Sekundenstils«, um das Alltagsmilieu und das Geschehen in minuziöser Beschreibung protokollartig zu erfassen, so dass das Erzählen zur unmittelbaren Gegenwart wird und Deckungsgleichheit von Erzählzeit und erzählter Zeit entsteht. In diesen naturalistischen Studien wird der Leser ohne Hintergrundinformation und ohne Exposition unmittelbar in die Handlung versetzt.

»Endlich, nachdem jetzt der alte Svendsen unten seine eintönige Patrouille eingestellt hatte, konnte sich auch Olaf nicht mehr länger aufrechterhalten.

Die lange Nachtwache, der scharfe Karboldunst, der das ganze enge, schwüle Zimmer füllte, das feine Ticken der Taschenuhr drüben vom Sofatische her, das leise, unermüdliche Brühen und Blaffen, mit dem sich das Öl in der kleinen, tiefheruntergeschraubten Lampe verzehrte, sein eigenes Blut, das ihm in den Ohren summte und zwischendurch wie fernes, dünnes Glockengeläute klang: das alles betäubte ihn!

12 Ernst Haeckel (1834–1919), deutscher Arzt und Naturwissenschaftler, der die Lehren von Charles Darwin in Deutschland verbreitete und zu einer speziellen Abstammungslehre ausbaute.
13 August Comte (1798–1857), französischer Mathematiker und Philosoph; Begründer der Soziologie und eines modernen Funktionalismus.
14 John Stuart Mill (1806–1873), englischer Philosoph, Ökonom und liberaler Denker. Vertreter eines Utilitarismus, wonach menschliches Handeln von einem Nützlichkeits- oder Lustprinzip geleitet wird.
15 Hippolyte Taine (1828–1893), französischer Philosoph, der den Menschen von Milieu, Erbanlagen und historischer Situation gesetzmäßig bestimmt sieht.

Er hatte sich jetzt in den alten, großen, kattunenen Lehnstuhl dicht neben dem Bett noch tiefer zurücksinken lassen.

Die glitzernde Flüssigkeit in dem halbvollen Glase neben ihm, die er vergeblich zu fixieren suchte, war jetzt in einen orangefarbnen Lichtklecks verschwommen, der allmählich ins Bläuliche überging. Schließlich war's nur noch ein braunroter Funke, der übrigblieb, zuletzt war auch der verloschen. Alles schien jetzt schwarz! Das Glas, das Bett, die Lampe, das ganze Zimmer …

Sein Kinn war ihm auf die Brust gefallen, er war eingeschlafen.

… Gott sei Dank! Er war wieder wach geworden. Es mußte eine Maus gewesen sein!

Sein Schatten, der jetzt lang und wunderlich geknickt drüben über die weiße, niedrige Tür weg, das kleine, blaue Stück Tapete drüber und die alte, verräucherte Zimmerdecke hinfiel, brachte ihn wieder zu sich.

Er sah nach der Uhr.

Drei!

Der Kranke lag noch immer da wie tot.

Er hatte sich jetzt über ihn gebeugt.

Das trübe, grellrote Lampenlicht zeichnete die Augenhöhle neben der spitz vorspringenden Nase wie ein tiefes, scharf umrändertes Loch in den Schädel.

›Armer Kerl!‹

Das große, feuchte Handtuch über seiner Stirn war jetzt wieder behutsam zurechtgerückt, er war jetzt abermals in seinen Lehnstuhl zurückgefallen.

›Armer Kerl!‹

Und nun wieder nur das leise, unermüdliche Brühen der Lampe, das Ticken der Uhr und Jens, der sich auf dem alten, wackligen Sofa drüben im Schlaf auf die andere Seite gedreht hatte …

Olaf seufzte.

Der schmutzige, gelbe Lichtfleck oben an der alten, rissigen Decke zitterte und zitterte, die Uhr tickte, das Blut summte, er war abermals eingeschlafen.

›O … Oolaf!!‹

Unten, irgendwo auf dem totenstillen Hofe hatten eben ohrenzerreißend ein paar Katzen aufgekreischt; jetzt war auch Jens in die Höhe gefahren.

›Um Gottes willen! Was …‹

›Halt's Maul! … Diese verfluchten Biester!‹

Er war jetzt wieder total munter.

[…]

›Geht's besser?‹

›Nein! Er schläft immer noch!‹

›Hm!‹

Eine Weile war alles wieder still. Sogar die Katzen draußen hatten sich auf einen Augenblick beruhigt.

Jetzt sah auch Jens nach seiner Uhr. Sie war stehngeblieben.

›Drei! Nicht wahr?‹

›Ja! Erst!!‹

›Schön! … Ist noch Bier da?‹

›Ja! Ich glaube.‹

Jens ging nachsehn. Seine dicken Filzsocken machten seine Schritte unhörbar. Vor dem Bette blieb er einen Augenblick stehn.

›Du! Vielleicht wird's doch besser!‹

Olaf zuckte nur die Achseln.

Eins … zwei … drei … fünf Stück noch.

›Dir auch eine?‹

›Nein! Danke!‹

›Aah! das tut wohl! – Übrigens … scheußlicher Muff hier!‹

›Ja! Zum Zerschneiden!‹

›Schauderhaft! Schauderhaft!‹

Er hatte sich jetzt, beide Hände in den Hosentaschen, dicht vor das Fenster gestellt.

›Dieses verdammte Viehzeug!‹

Olaf, der schon eine ganze Zeit auf dem kleinen, rotgebeizten Bücherregal über der Kommode gekramt hatte, sah auf.

›Ja! Weiß Gott! Schon die ganze Nacht!‹

Jens sah jetzt auf den Hof hinaus. Er hatte die Gardinen beiseite genommen.

Drüben auf die dunkle Wand des Hinterhauses hatten die beiden Fenster ihre zwei trüben Lichtvierecke gelegt, oben auf einem Schornstein zeichneten sich die schwarzen Schattenrisse zweier Katzen deutlich gegen den blauen Nachthimmel ab. Zwei, drei Sternchen flinkerten müde über den mit einem leisen, grauen Lichte überzogenen Dächern.

Arno Holz / Johannes Schlaf: Papa Hamlet. Ein Tod. Mit einem Nachw. von Fritz Martini. Stuttgart: Reclam, 1963 [u. ö.]. (Reclams Universal-Bibliothek. 8853.) S. 65–67.

Anhand einer genauen Analyse der Erzähltechnik und Sprach-
gestaltung einer Schlüsselstelle (Sonnenuntergang und Vorbeifahrt
eines Zuges, Text Kap. III, S. 19 f.) zeigt Fritz Martini (1954), wie
Hauptmann die um »Genauigkeit der empirischen Beobachtung«
bemühte naturalistische Darstellungstechnik durch ein symboli-
sches Erzählen erweitert. Zu den detaillierten Beschreibungen der
Landschaft und der Eisenbahn, also des den Bahnwärter bestim-
menden Milieus, treten Schilderungen mit sprachlichen Bildern, die
mit ihren symbolischen Zusammenhängen auf tiefere Bereiche seiner Existenz verweisen. Diese Bild- und Symbolebene steigert die
Faktoren des Milieus und der psychischen Verfassung des Bahnwärters zu übermächtigen Gewalten, denen er hilflos ausgeliefert
ist.

»Einsam, ein regungsloser Punkt, steht der Bahnwärter in dieser
doppelten Landschaft, die mit übermächtiger Gewalt vor ihm erscheint. Nicht nur bei der Vorüberfahrt der Maschine, auch im Blick
auf die Landschaft wird das Übermächtige betont (unabsehbar, Na-
5 delmassen, mächtiger Wolken, Wipfelmeer, Ströme von Purpur).
Die auf die Waldlandschaft bezogenen Worte werden durchweg
pluralisch gebraucht – im inneren Gegensatz zur Einsamkeit dieses
einen Menschen. Auffallend ist die genaue Architektur dieser Schilderung, welche durch die akzentuierten, zahlreichen Absätze un-
0 terstrichen wird. Der zweite Absatz zeichnet die landschaftliche
Gesamtsituation; der dritte Absatz gibt die sie durchtönende Lebendigkeit wieder, die vor allem akustisch wahrgenommen wird, während der zweite Absatz ganz aus dem Visuell-Malerischen spricht.
Der vierte Absatz [...] wechselt wiederum zum nur Visuell-Maleri-
5 schen über. In ihm vollzieht sich eine Steigerung. Der Absatz ist
kürzer, die Farben werden intensiver, das innere Leben der Landschaft steigert sich ins ›Mächtige‹. Das Vokabular gewinnt eine geradezu pathetische Ausdrücklichkeit (Wipfelmeer, Ströme von Purpur, Säulenarkaden). Die gleiche Landschaft wird nun gedrängter,
0 ins Große erhöht, dargestellt. Wieder wird ein ruhendes Bild gegeben, aber es ist von einer starken inneren Bewegung ›gleichsam
von innen heraus‹, von vitalen Gewalten durchpulst. Ein genau be-
obachteter Vorgang wird abgebildet, aber die Art seiner Aussprache

steigert ihn ins Visionäre. Der Sonnenuntergang bedeutet eine expressive Steigerung der Landschaft in das Phantastisch-Irreale, in dem sich Gewalt und Schönheit verbinden. Die Farbe rot dominiert. Und wenn die Stämme glühendem Eisen verglichen werden, ergibt sich jene schon soeben beobachtete bildhafte Verbindung zu der technischen Gegenwelt, mit der das gleiche Pathos innerer Gewalthaftigkeit vereint. In der schweigenden Sprache der Farben, die gleichwohl eine Sprache von pathetischer Größe ist, vollzieht sich dieser Sonnenuntergang, der die Wirklichkeit ins Traumhafte verwandelt, in das Mysterium eines sich weit über das Menschliche hinaus vollziehenden kosmischen Geschehens. [...]

[...] Der fünfte Absatz ist fast haargenau in der Mitte durch den Hinweis auf den Wärter unterbrochen (›noch immer regungslos an der Barriere‹). Er erscheint wie ein Gebannter unter der Gewalt des Schauspiels. Der Absatz ist damit in zwei Hälften geteilt. Die erste Hälfte schildert den endenden Sonnenuntergang; er ist dem kosmischen Geschehen zugewandt. Die zweite Hälfte schildert das sich vorbereitende Nähern der Maschine und wendet sich so der Gegenwelt des Technischen zu. Jeweils wird eine Bewegung beschrieben, die sich in der ersten Hälfte im Malerisch-Visuellen, in der zweiten Hälfte im Musikalisch-Akustischen darstellt.

Wiederum erweist sich die genaue Architektur dieses Erzählens. Die innere Kontrastierung, das geheime dramatische Gefüge dieses Absatzes reicht noch weiter. Die erste Hälfte zeigt das langsame Erlöschen der Farbenglut, das Erlöschen jenes großen, im Schönen geheiligten inneren Lebens, das zuerst – in der Kombination des Empirischen mit dem Symbolischen – die Geleise auf der Erde, im Horizontalen der ›Netzmasche‹ verläßt und sich dann, mehr und mehr emporsteigend, in die unerreichbare Höhe zurückzieht. Langsam und deutlich vermag das Auge diesem Aufstieg der Glut ›in die Höhe‹ zu folgen, bis, fast ganz ihm entzogen, nur noch am ›äußersten Rand der Wipfel‹ ein rötlicher Schimmer bleibt. [...]

[...] Dem Schauspiel des Abschieds folgt jetzt in innerer Gegenwendung das Schauspiel der Ankunft. Der Erzähler kehrt für einen kleinen Augenblick zu dem Betrachtungspunkt zurück. Mit einer minutiösen Nuance der Bewegung wird er verändert. Thiel tritt einen Schritt vor – dieser Schritt bedeutet die völlige Veränderung der Blickrichtung. Die Symbolik des Vertikalen und Horizontalen wird sichtbar, und damit wird bestätigt, was oben von der Symbolik des räumlichen Wechsels in dieser Erzählung gesagt wurde. Im Unwillkürlichen dieses Schrittes, so verständlich er aus der Realität seines Bahndienstes erscheint, liegt ein Hinweis – Thiel geht dem Zuge, der in ihm heranbrausenden Gewalt, entgegen, als zwänge sie ihn zu sich hin. Er bleibt auch jetzt in der wartenden, d.h. passiv-reaktiven Haltung. Der Blick, bisher auf den Wald und nach oben gerichtet, richtet sich jetzt auf die Geleise und auf ihnen entlang auf die Ferne des Horizontes, auf die Fläche des Irdischen. Er wechselt von der Welt der Natur zur Welt des Technischen. In beiden – darin liegt ihre Gemeinsamkeit – begegnet dem Menschen das Übermenschliche. Aus dem Bann der einen Macht gerät er in den Bann durch die andere. Im lautlosen Leben der erglühenden Natur wie – nun im äußersten Gegensatz – in der zu gewaltigem ›Tosen und Toben‹ anwachsenden Lebendigkeit der Maschinenwelt begegnet er etwas Vital-Mächtigem, Gewaltig-Gewaltsamem, das, aus der Ferne heranbrausend und in sie hineinschwindend, ihn unwiderstehbar überfällt.

Hauptmann nennt weder in diesem Absatz noch im folgenden die Eisenbahn; vielmehr bedient er sich offenbar bewußt der Steigerungskraft des Undeutlichen. ›Ein dunkler Punkt‹ erscheint und vergrößert sich, er wird hörbar in den das dingliche Subjekt aussparenden Verbalsubstantiven (ein Vibrieren und Summen, ein Geklirr, Getöse; im nächsten Absatz: ein Keuchen und Brausen, ein Toben und Tosen) – das Anonyme beherrscht den Satzbau. Später heißt es metaphorisch, ja geradezu mythisierend: ›das schwarze schnaubende Ungetüm‹. Solche Anonymität steigert das titanisch Übermenschliche, das sich jetzt vor Thiels Augen und Ohren vollzieht. Denn nicht das konkrete technische Ding wird sichtbar, sondern die sich in ihm entfesselnde, den ganzen Raum ausfüllende und erschütternde Gewalt. Darin zeichnet sich auch ein bestimmtes Erleben des Technischen ab: als eine unwiderstehlich einbrechende, sich mit rücksichtsloser Gewalt Bahn schaffende, nicht vom Menschen gelenkte und beherrschte, sondern aus sich selbst lebende Gewalt, als ein Elementares, welches das Elementare im Naturvorgang ablöst und überdonnert.«

Fritz Martini: Gerhart Hauptmann. Bahnwärter Thiel. In: F.M.: Das Wagnis der Sprache. Interpretationen deutscher Prosa von Nietzsche bis Benn. Stuttgart: Klett, 1954. S. 56–98, hier S. 75 f., 82, 84–86. – © 1954 J.G. Cotta'sche Buchhandlung Nachfolger GmbH, Stuttgart.

7. Auseinandersetzung mit Technik und Industrialisierung – die Eisenbahn als literarisches Motiv um 1900

Abb. 4: Der Lokomotivbau. Holzstich nach einem Gemälde aus dem Zyklus »Lebensgeschichte einer Lokomotive« von Paul Meyerheim (Auftragsarbeit für Albert Borsig)

»Auf der eisernen Straße heran kam ein kohlschwarzes Wesen. Es
schien anfangs stillzustehen, wurde aber immer größer und nahte
mit mächtigem Schnauben und Pfustern und stieß aus dem Rachen
gewaltigen Dampf aus. Und hinterher –

›Kreuz Gottes!‹, rief der Jochem, ›da hängen ja ganze Häuser dran!‹
Und wahrhaftig, wenn wir sonst gedacht hatten, an das Lokomotive
wären ein paar Steirerwäglein gespannt, auf denen die Reisenden
sitzen konnten, so sahen wir nun einen ganzen Marktflecken mit
vielen Fenstern heranrollen, und zu den Fenstern schauten leben-
dige Menschenköpfe heraus, und schrecklich schnell ging's, und ein
solches Brausen war, daß einem der Verstand still stand. Das bringt
kein Herrgott mehr zum Stehen! fiel's mir noch ein. Da hub der Jochem die beiden Hände empor und rief mit verzweifelter Stimme:
›Jessas, Jessas, jetzt fahren sie richtig ins Loch!‹

Und schon war das Ungeheuer mit seinen hundert Rädern in der
Tiefe; die Rückseite des letzten Wagens schrumpfte zusammen, nur
ein Lichtlein davon sah man noch eine Weile, dann war alles verschwunden, bloß der Boden dröhnte, und aus dem Loche stieg still
und träge der Rauch.

Mein Oheim wischte sich mit dem Ärmel den Schweiß vom Angesicht und starrte in den Tunnel.

Dann sah er mich an und fragte: ›Hast du's auch gesehen, Bub?‹
›Ich hab's auch gesehen.‹

›Nachher kann's keine Blenderei gewesen sein‹, murmelte der Jochem.«

P. R.: Waldheimat. Erzählungen aus der Jugendzeit. Bd. 2: Der Guckinsleben.
Leipzig: Staackmann, 1914. (Gesammelte Werke. Bd. 13.) S. 210–213.

7.2 Ernst Stadler, *Fahrt über die Kölner Rheinbrücke bei Nacht*
(1913)

Fahrt über die Kölner Rheinbrücke bei Nacht

Der Schnellzug tastet sich und stößt die Dunkelheit entlang.
Kein Stern will vor. Die ganz Welt ist nur ein enger, nachtum-
    schienter Minengang,

Darein zuweilen Förderstellen blauen Lichtes jähe Horizonte
    reißen: Feuerkreis
Von Kugellampen, Dächern, Schloten, dampfend, strömend ..
    nur sekundenweis ..
Und wieder alles schwarz. Als führen wir ins Eingeweid der
    Nacht zur Schicht.
Nun taumeln Lichter her .. verirrt, trostlos vereinsamt ..
    mehr .. und sammeln sich .. und werden dicht.
Gerippe grauer Häuserfronten liegen bloß, im Zwielicht blei-
    chend, tot – etwas muß kommen .. o, ich fühl es schwer
Im Hirn. Eine Beklemmung singt im Blut. Dann dröhnt der
    Boden plötzlich wie ein Meer:
Wir fliegen, aufgehoben, königlich durch nachtentrissne Luft,
    hoch übern Strom. O Biegung der Millionen Lichter,
    stumme Wacht,
Vor deren blitzender Parade schwer die Wasser abwärts rollen.
    Endloses Spalier, zum Gruß gestellt bei Nacht!
Wie Fackeln stürmend! Freudiges! Salut von Schiffen über
    blauer See! Bestirntes Fest!
Wimmelnd, mit hellen Augen hingedrängt! Bis wo die Stadt
    mit letzten Häusern ihren Gast entläßt.
Und dann die langen Einsamkeiten. Nackte Ufer. Stille. Nacht.
    Besinnung. Einkehr. Kommunion. Und Glut und Drang
Zum Letzten, Segnenden. Zum Zeugungsfest. Zur Wollust.
    Zum Gebet. Zum Meer. Zum Untergang.

E. St.: Der Aufbruch und andere Gedichte. Hrsg. von Heinz Rölleke.
Bibliogr. erg. Ausg. Stuttgart: Reclam, 1996. (Reclams Universal-
Bibliothek. 8528.) S. 37.

7.3 Johannes R. Becher, *Lokomotiven* (1914)

Lokomotiven

Die brüllen jäh ins Land –: Lokomotiven!
Steil ob der Viadukte Schwung die rasendsten Kokotten.
Die fest im Raum gestampfter Böden schliefen:
    Ob Wiesen-Massen! Fluß-Turm! Nacht-Stern-Grotten!

Lokomotiven! Sturmböcke! euere spitzigen Brüste
(… Torpedos und rubinvoll …) stoßend durch Gemäuer aller
    Äther grad!
Glänzender Panzerhüfte schmiegt der Draht.
Doch einstmals bäumt ihr auf vor seidener Küste:

Die Brücken platzen krätschen schwarz entzwei!
Des Tunnels Röhre knickte. Schienen lallen.
Gelöst Räder in Lüfte krallen …
Es schnurrt … – – –

Bengalische Feuer blühen, ringsum sausend!
Und stürzt und schlagt und poltert in den Grund!
So wirr zerschleudert. Schiefer Mund
Krümmt hoch zum Mond. Langsam rhythmisch noch die Ge-
    lenk-Gestänge auf und nieder hauen …

(… Ein Dichter, Falter, schwebt um dich, du blankeres Tier.
Du Majestät! wie zogst du ein in Hallen.
Der Schwestern Pfiffe gell in Lüften schallen.
Tier-Kräuter-Wildnis schmiegt im Glieder-Werk.)

J.R.B.: Gesammelte Werke in 18 Bänden. Hrsg. vom Johannes-R.-Becher-
Archiv der Deutschen Akademie der Künste zu Berlin. Bd. 1: Ausgewählte
Gedichte 1911–1918. Berlin/Weimar: Aufbau-Verlag, 1966. S. 457f. –
© Aufbau Verlag GmbH & Co. KG, Berlin 1966. (Das Werk erschien
erstmals 1966 im Aufbau-Verlag; Aufbau ist eine Marke der
Aufbau Verlag GmbH & Co. KG).

7.4 Thomas Mann, *Der Zauberberg* (1924)

»Er sah hinaus: der Zug wand sich gebogen auf schmalem Paß; man
sah die vorderen Wagen, sah die Maschine, die in ihrer Mühe
braune, grüne und schwarze Rauchmassen ausstieß, die verflatter-
ten. Wasser rauschten in der Tiefe zur Rechten; links strebten
dunkle Fichten zwischen Felsblöcken gegen einen steingrauen Himmel empor. Stockfinstere Tunnel kamen, und wenn es wieder Tag
wurde, taten weitläufige Abgründe mit Ortschaften in der Tiefe sich
auf. Sie schlossen sich, neue Engpässe folgten, mit Schneeresten in
ihren Schründen und Spalten. Es gab Aufenthalte an armseligen
Bahnhofshäuschen, Kopfstationen, die der Zug in entgegengesetzter

Richtung verließ, was verwirrend wirkte, da man nicht mehr wußte, wie man fuhr, und sich der Himmelsgegenden nicht länger entsann. Großartige Fernblicke in die heilig-phantasmagorisch sich türmende Gipfelwelt des Hochgebirges, in das man hinan- und hineinstrebte, eröffneten sich und gingen dem ehrfürchtigen Auge durch Pfadbiegungen wieder verloren. Hans Castorp bedachte, daß er die Zone der Laubbäume unter sich gelassen habe, auch die der Singvögel wohl, wenn ihm recht war, und dieser Gedanke des Aufhörens und der Verarmung bewirkte, daß er, angewandelt von einem leichten Schwindel und Übelbefinden, für zwei Sekunden die Augen mit der Hand bedeckte.«

Th.M.: Der Zauberberg. Roman. Frankfurt a.M.: S. Fischer, 1981. (Gesammelte Werke in Einzelbänden. Frankfurter Ausgabe. Hrsg. von Peter de Mendelssohn.) S.11f. – © 1981 S. Fischer Verlag GmbH, Frankfurt am Main.

Abb. 5: Gemälde von Hans Baluschek (1932)

8. Wissenschaftliche Deutungen

Nach Fritz Martini (1970) entwickelt Hauptmann in seiner »novellistischen Studie« ein menschliches Schicksal aus einem Kausalgefüge von Milieu und Psyche. Dabei steigert er die in dieser Wirklichkeit angelegte Unentrinnbarkeit mit Metaphern und Bildsymbolen ins Allgemein-Menschliche, ins Mythische.

Die in der Erzählung durch Minna bzw. Lene repräsentierten Frauentypen entsprechen nach Helmut Scheuer (1990) männlichen Projektionsfiguren, die in dieser Gegensätzlichkeit häufig in der Kunst und Philosophie um 1900 anzutreffen sind.

8.1 Fritz Martini, »Der sogenannte Naturalist Hauptmann erzählt zum Mythischen hin«

»Noch anderes muss angemerkt werden, was Hauptmanns Erzählung entschieden von der Tradition des Realismus im 19. Jahrhundert abhebt: er hat das Gestaltungsschema der älteren Novelle umgekehrt. Die Novelle des 19. Jahrhunderts – seit Goethe – führte durch krisenhafte Gefährdung, durch den Sturz ins Ungeordnete und Chaotische, zu einer versöhnenden Ordnung des Lebens zurück. Hauptmann erzählt hingegen den unaufhaltsamen Weg eines auf Ordnung, Friedlichkeit und Güte angelegten Mannes zum Mord an seinem Weib und Kind, zum Irrsinn; zum Verbrechen als Gericht und Rache. Er zeigt den Durchbruch der Verzweiflung und den Zusammenbruch eines in seiner innersten Existenz zerstörten Menschen. In dem Geschick des Bahnwärters enthüllt sich eine gnadenlose Wirklichkeit. Der Mensch kann ihr nicht entrinnen. Er ist in ihr und in sich selbst gefangen. Sie ist eine elementare Gewalt in dem, was ihn umgibt, und sie ist eine elementare, im Unbewussten wartende und drohende Gewalt in ihm selbst. Es ist gerade der in seiner Mentalität primitive, einfache Mensch, der ihr ausgeliefert ist. ›Es war, als hielte ihn eine eiserne Faust im Nacken gepackt, so fest, dass er sich nicht bewegen konnte, sosehr er auch unter Ächzen und Stöhnen sich frei zu machen suchte.‹ Die Dimension des psychologischen Gestaltens wird hier tiefer gelegt, in Schichten des Unbewussten. Sie wird geweitet, wenn in der Dingwelt, in der der Bahnwärter beheimatet ist und sich sein monotoner Lebenskreis in täglicher Routine vollzieht, die Schicksalszeichen erscheinen. [...] Damit deutet die trostlose Geschichte des Bahnwärters Thiel in

Dimensionen des Menschlich-Allgemeinen, ja, des Mythischen. Der sogenannte Naturalist Hauptmann erzählt zum Mythischen hin. Es wird gegenwärtig in den wechselnden Bildern der Waldlandschaft, die wie ein unabsehbares Meer die Bahnstrecke und das einsame Wärterhäuschen, Thiels ›Kapelle‹, Schutzinsel und die Stätte seiner Lebenskatastrophe, umbrandet, es wird gegenwärtig in den wechselnden Bildern der Gleisstrecke und der auf ihr heran- und hinwegtosenden Eisenbahnzüge, die sich bis zu Dämonisch-Gewaltsamem und Geisterhaftem steigern. Im Elementaren der Landschaft, im Unmenschlichen und Übermenschlichen der Eisenbahn, in beider Teilhabe an Glut und Feuer, erhaben und furchtbar, an Stahl und Eisen, an grauen, kalten, bleichen Todes- und Verwesungsfarben, drückt sich ein Gewalthaftes aus, das, sprachlich auf die gleiche Weise verbildlicht, auch in der Natur der Menschen gegenwärtig ist. Die brutale Triebnatur der Frau des Thiel zeigt zugleich Züge des Maschinenhaften. Auch dies weist auf Mythisches: das ungleiche Verhältnis der Geschlechter, die Übermacht der triebhaften Vital- und Willensnatur des Weibes über den Mann, dem, bei aller stumpfen Schwerfälligkeit, ein Seelisch-Geistiges als sein Rang und seine Schwäche eingelegt ist. [...]

[...] Hauptmann gibt mehr als eine ›naturalistische‹ Studie aus Milieu und Psychologie. In dem Bahnwärter zeichnet sich eine Tragödie des Menschlichen ab, wie Hauptmann sie immer wieder gestaltete. Dieser Bahnwärter lebt in gespaltener, doppelter Existenz: zwischen der Sehnsucht nach etwas Reinem, Seelenhaftem und Heiligem, die ihn an seine erste Frau bindet und ihn sich ganz in die Innerlichkeit des Erinnerns zurückziehen lässt, und einer zugleich begehrlichen und erschlaffenden Triebhaftigkeit, die ihn an seine zweite Frau fesselt und ihr fast unterwirft. Er versucht, diesen Widerspruch auszuhalten. Er trennt den Innenbereich, der der Toten gehört und der ihm sein Wärterhäuschen in langen Nächten zur Kapelle der mystisch andächtigen, ja ekstatischen Erinnerungen verwandelt, von dem Triebbereich seines außerdienstlichen Lebens, in dem er seine Frau erträgt und begehrt. Der Versuch, in solcher Spaltung zu leben, muss scheitern. ›Die stillen, hingebenden Gedanken an sein verstorbenes Weib wurden von denen an die Lebende durchkreuzt.‹ Sie bricht in seinen Schutzbereich, in das Gehege des Wärterhäuschens ein. Er kann sich, seine innere Welt und sein Kind nicht gegen sie verteidigen. Sie – die Wirklichkeit – ist stärker. In dem Augenblick, in dem er sich dessen bewusst wird – ›eine Kraft schien von dem Weibe auszugehen, unbezwingbar, unentrinnbar, der Thiel sich nicht gewachsen fühlte‹ –, in der folgenden langen, ausführlich erzählten Nacht, in der das Unwetter gespenstisch tobt, in der die vorüberbrausenden Züge wie rotglotzende dämonische Giganten erscheinen und Thiel die Vision der auf den Gleisen flüchtenden Frau mit dem Bündel des Schlaffen, Blutigen, Bleichen hat, vollzieht sich in ihm der Durchbruch des Bewusstseins seiner Schuld und seines Elends. Der visionäre Traum wird zur Versinnlichung des in Thiel ablaufenden Prozesses. Er ist zugleich wie ein Einbruch aus einer anderen Welt, in der die Entscheidung bereits gefallen ist. Sein Bewusstsein taucht in das Halb- und Unbewusste zurück, in ein fast stummes Gefühl- und Triebhaftes: so stumm und untergründig wie die Gewalten, die sich in der Bilderwelt der Landschaft und der Eisenbahnstrecke manifestieren. Mit der gleichen Doppelheit wie in Thiel selbst, nur dass das Erhaben-Feierliche und Schöne in der Waldlandschaft immer mehr in das Unheimlich-Bedrückende übergeht und die starre Ordnung der Technik und ihrer Apparatur mehr und mehr das in ihr unmenschliche Dämonisch-Zerstörerische aus sich entlässt. Die künstlichen Ordnungen zerbrechen, der Schrankenwärter kann sein Kind nicht gegen das Unheil der Gleise schützen, der Weg zur Endkatastrophe ist geöffnet. Es gibt keinen Schutz gegen das Wirkliche. Gegen jenes Wirkliche, das sich in der Waldlandschaft, in Gleisstrecke und Eisenbahn, in deren Farben und Stimmungen vergegenwärtigt. Hauptmann hat das nachromantische Naturverhältnis geradezu umgekehrt; die Natur wird zum Zeichen, zum Symbol der gleichen unfassbaren und chaotisch zerstörenden Mächte, die im Menschen ausbrechen und ihn vernichten. Und er hat mit vorausgreifendem Blick, im Gegensatz zu jenem Optimismus, mit dem seine Zeitgenossen die Triumphe der Technik feierten, hinter den Ordnungsmechanismen dieser Technik ihr Dämonisch-Unheimliches erkannt. Er hat, wie niemand vor ihm, das neue technische Phänomen, Eisenbahn und Bahnstrecke, zum Symbolzentrum der Erzählung gemacht.«

Fritz Martini: Nachwort. In: Gerhart Hauptmann: Bahnwärter Thiel. Novellistische Studie. Durchges. Ausg. Stuttgart: Reclam, 2001 [u.ö.]. (Reclams Universal-Bibliothek. 6617.) S. 47–55, hier S. 49–54.

8.2 Helmut Scheuer, »Die Tötung Lenes ... ein Akt des Selbsthasses, eine brutale Reaktion auf die ... sexuelle Abhängigkeit«

»[...] Es ist wichtig zu erkennen, welche Vorstellungen von der Frau im *Bahnwärter Thiel* vermittelt werden sollen. Lene und Minna sind eindeutig Projektionsfiguren eines Mannes, der bestimmte Frauentypen gerechtfertigt sehen will: Minna ist die verklärte, entsexualisierte Heilige; Lene die sexualisierte Frau, die proletarische[16] Version des männermordenden weiblichen ›Vamps‹[17], [...]. Dieser Frauentypus verdankt seine Existenz sowohl männlichen Wunsch- als auch Angstprojektionen. Die ersehnte und zugleich als bedrohlich empfundene weibliche Sexualität ist fast immer nur männliche Zuschreibung, die sich allein den weiblichen Körper imaginiert und deshalb gern das ›Seelenlose‹ dieser Frauen herausstreicht – und sie damit den ›Maschinen‹ angleicht. Mit einer ›ungezügelten‹ Sexualität wurde schon immer das ›Primitive‹ bzw. ›Atavistische‹[18] verbunden. Wie so viele dieser aus Männerphantasien entstandenen Frauenbilder wird auch Hauptmanns Lene keineswegs als selbstbestimmtes Subjekt ihrer Sexualität, sondern als Objekt des männlichen Begehrens vorgestellt. [...] Von dieser Kuhmagd gehen nämlich keine sexuellen Aktivitäten aus, es ist allein ihr Körper, der für die sinnliche Erregung des Mannes sorgt. Thiel ist derjenige, der von Leidenschaft getrieben wird:

Thiel hörte kaum, was sie sagte. Seine Blicke streiften flüchtig das heulende Tobiaschen. Einen Augenblick schien es, als müsse er gewaltsam etwas Furchtbares zurückhalten, was in ihm aufstieg; dann legte sich über die gespannten Mienen plötzlich das alte Phlegma, von einem verstohlnen begehrlichen Aufblitzen der Augen seltsam belebt. Sekundenlang spielte sein Blick über die starken Gliedmaßen seines Weibes, das, mit abgewandtem Gesicht herumhantierend, noch immer nach Fassung suchte. Ihre vollen, halbnackten Brüste blähten sich vor Erregung und drohten das Mieder zu sprengen, und ihre aufgerafften Röcke ließen die breiten Hüften noch breiter erscheinen. Eine Kraft schien von dem Weib auszugehen,

16 *proletarisch*: zur Lohnarbeiterschaft gehörend.
17 *Vamp*: erotisch anziehende, gefühlskalte Frau.
18 *atavistisch*: unzivilisiert.

unbezwingbar, unentrinnbar, der Thiel sich nicht gewachsen fühlte. [16,33–17,13]

Daß Lene einzig als attraktives Objekt der männlichen Sexualphantasie entworfen worden ist, zeigt auch die zweite wichtige Szene, bei der der Bahnwärter seine sich ausziehende Frau heimlich beobachtet:

Plötzlich fuhr sie herum, ohne selbst zu wissen, aus welchem Grunde, und blickte in das von Leidenschaft verzerrte, erdfarbene Gesicht ihres Mannes, der sie, halbaufgerichtet, die Hände auf der Bettkante, mit brennenden Augen anstarrte. ›Thiel!‹ – schrie die Frau halb zornig, halb erschreckt [...]. [27,20–24]

[...] Frühzeitig hat der Erzähler in *Bahnwärter Thiel* Hinweise gegeben, wie angeblich widerspenstige Frauen behandelt werden müßten. Er läßt die Nachbarn zunächst scheinheilig Thiel bedauern, weil jeder sehe, ›wer in dem Häuschen des Wärters das Regiment führte‹. Aber die folgende Passage demonstriert, daß im individuellen Fall des Bahnwärters ein generelles Problem aller Ehemänner abgehandelt wird:

Es sei ein Glück für ›das Mensch‹, daß sie so ein gutes Schaf wie den Thiel zum Manne bekommen habe, äußerten die aufgebrachten Ehemänner; es gäbe welche, bei denen sie greulich anlaufen würde. So ein ›Tier‹ müsse doch kirre zu machen sein, meinten sie, und wenn es nicht anders ginge denn mit Schlägen. Durchgewalkt müsse sie werden, aber dann gleich so, daß es zöge. [5,24–30]

Scheint sich Thiel zunächst solch brutaler Männerphilosophie zu verweigern, so zeigt sich nach Tobias Tod auf den Bahngleisen, daß auch er von solchen Gewaltphantasien beherrscht wird: ›[...] und da will ich sie auch schlagen – braun und blau – auch schlagen – und da will ich mit dem Beil – siehst du? – Küchenbeil – mit dem Küchenbeil will ich sie schlagen, und da wird sie verrecken.‹ [37,4–7]

Solchen imaginierten[19] Bestrafungsaktionen folgt dann die Tat: der Mord an Lene und dem gemeinsamen Säugling. Was als Tat eines von Gewissensbissen geplagten Vaters erscheint, der sich an ei-

19 *imaginiert*: in der Phantasie vorgestellt.

ner herzlosen Stiefmutter rächt, ist mehr noch die brutale Abrech-
nung eines in seiner Mannesehre tiefverletzten Ehemannes. Im Ty-
pus Lene wird jene Frau bestraft, die den Männern die alte Herr-
schaftsrolle streitig zu machen scheint. Der Mord erscheint als ein
kathartischer[20] Kraftakt, mit dem die verlorengegangene männliche
Souveränität restituiert wird. Aber in Wirklichkeit vollzieht sich
dadurch erst die eigentliche Tragik des Mannes, regrediert[21] doch der
männliche Täter zu einem kindlichen ›Irrsinnigen‹ [43,13]. Der Leser
soll diese Tragik offensichtlich Lene anlasten, denn diese ist als cha-
rakterliches Gegenmodell zu Thiel entworfen worden: ihre ›harte,
herrschsüchtige Gemütsart, Zanksucht und brutale Leidenschaftlichkeit‹ [5,19f.] wird gegen sein ›kindgutes, nachgiebiges Wesen‹
[6,11] gestellt [...]. [...] Wer wie Thiel ›Ekel‹ [7,23] und ›tiefe Scham‹
[22,14] empfindet, weil er sich der ›Macht roher Triebe‹ [6,34] ausgeliefert sieht, wird die Schuld gern bei der angeblich ›verführeri-
schen‹ Frau suchen, die sich scheinbar schamlos anbietet und er-
obert sein will. [...] Die Tötung solcher die männliche Vormacht
gefährdenden Frauentypen erscheint dann als kathartischer männ-
licher Reinigungsprozeß, ist aber wohl eher ein Akt des Selbsthas-
ses, eine brutale Reaktion auf die als demütigend empfundene sex-
uelle Abhängigkeit und schließlich auch der (untaugliche) Versuch,
die eigene Sexualität zu verleugnen. [...]«

Helmut Scheuer: Gerhart Hauptmann. Bahnwärter Thiel. In: Interpretationen. Erzählungen und Novellen des 19. Jahrhunderts. Bd. 2. Erw. Ausg.
Stuttgart: Reclam, 1997 [u.ö.]. S. 371–426, hier S. 404–406, 408f., 411f.

20 *kathartisch:* reinigend, entladend.
21 *regredieren:* auf eine frühere Entwicklungsstufe zurückfallen.

9. Moderne Adaptionen: Jan Brandt,
Gegen die Welt (2011)

Als Selbstbehauptung gegen die beklemmende Enge kleinbürgerlicher Milieus und die Leere einer eintönigen Landschaft entwickeln die jugendlichen Helden in Jan Brandts Roman *Gegen die Welt* von 2011 einen selbstmörderischen Hang zu schrägen Abenteuern und Grenzsituationen zwischen Leben und Tod. Im vorliegenden Romanauszug muss die Hauptfigur, Daniel Kuper, das Motorradrennen zwischen verfeindeten Brüdern genau in dem Moment starten, in dem ein herannahender Güterzug zur tödlichen Gefahr wird, da die Rennstrecke die Gleise kreuzt. Der Wahrnehmungsprozess des Lesers wird gleichzeitig durch die intertextuelle Bezugnahme auf eine Schlüsselstelle (vgl. Kap. 6.2, S. 67) in Gerhart Hauptmanns *Bahnwärter Thiel* beeinflusst.

»Dann hörte er es. Das Sirren. Den hohen, aufsteigenden Ton. Der Zug schickte Boten aus, seine Ankunft anzuzeigen.

Damit man ihm dort, wo er ankam – wo immer das war – den nötigen Respekt erwies.

Damit man ihn willkommen hieß.

Oder die Flucht ergriff.

Unwillkürlich machte Daniel einen Schritt nach vorn, weg von den Gleisen. Er trat in die Mitte der Straße und ließ den Blick einmal über den Horizont schweifen, und obwohl der Bahndamm nach Westen, zum Fluss hin, bis zur Deichkrone anstieg, konnte er den Zug nirgends sehen. Nur die Brücke. Und die Bäume, die die Strecke säumten. Aber plötzlich war er da. Nacheinander erhoben sich die Vögel von den Bäumen und flatterten davon. Irgendwo dahinten peitschte er durch den Regen. Mit mehr als hundert Stundenkilometern und mehreren Hundert Tonnen im Rücken. Nichts würde ihn von einem Moment auf den anderen aufhalten können.

Daniel breitete die Arme aus, schloss die Augen und zählte bis drei. Dann schlug er die Hände über dem Kopf zusammen.

Noch lag Marcel zurück, zwei-, dreihundert Meter vielleicht, aber mit jedem Meter verringerte sich der Abstand zwischen den beiden Motorrädern, und auch der Zug neben ihnen holte auf. Seine Umrisse blitzten jetzt zwischen den Bäumen, den Büschen hervor. Bald würden sie auf gleicher Höhe sein und, da die Schienen zu ihnen

hin abbogen, an einem Punkt unmittelbar hinter Daniel zusammen-
treffen.

Jetzt hörte er auch die Lok, nicht ihr Stampfen, sondern ihr Brum-
men und Gleiten. Der Boden vibrierte zwar, aber die Schwingun-
gen, die von den Rädern ausgingen und sich auf die Schienen über-
trugen, waren gleichmäßig und kurz aufeinanderfolgend, schnelle,
kleine, gewaltige Stöße. Das Brackwasser in den Gräben rechts und
links der Strecke schwappte auf beiden Seiten gegen die von Bisam-
ratten ausgehöhlten Wände, die Wiesen bebten, Stauden wogten an
ihren äußersten Spitzen hin und her, bis selbst die Straße, von dieser unsichtbaren Kraft geschüttelt, erzitterte. Und dann war da das
Rauschen, anschwellend, wie ein Windhauch, der von weit her
durch die Blätter fegt, und dieses verheißungsvolle Knistern auf den
Schienen und oben in den Oberleitungen, als hätte jemand für dieses Rennen einen Wald aus Wunderkerzen angezündet.

Jetzt konnten es auch die anderen hören. Die Luft war voll davon.
Rainer blickte erst nach rechts und beugte sich dann tief über den
Lenker, tiefer als zuvor, tiefer als jemals, Stefan oder Onno, einer
von beiden, zeigte auf den Zug, woraufhin Marcel den Kopf in
dessen Richtung drehte, offenbar überrascht über diese Wendung
der Dinge. Wenn er nicht mit seinem Bruder gleichzog, würde er
mit der Lok zusammenprallen. Es sei denn, er bremste ab – oder er
wurde den Ballast los, der hinter ihm auf der Sitzbank herum-
zappelte.

Daniel hörte das Pfeifen des Zuges, dreimal kurz und grell hintereinander, und wedelte mit den Armen. Er wollte, dass sie anhiel-
ten, dass sie ihren Stolz aufgaben und ihren Hass, aber stattdessen
gaben sie noch einmal Gas, um alles aus ihren Motoren, aus sich
selbst herauszuholen.

Dann schossen sie an ihm vorbei und über das Ziel hinaus, beide
nebeneinander. Daniel konnte nicht sagen, welches Vorderrad vor
dem anderen gewesen war. Rainer und Marcel erhoben sich über
ihre Lenker, und ihre Maschinen machten einen Satz, als sie die
Krone des Damms erreichten. Für eine Sekunde hingen die Reifen
in der Luft, schwebten über der Straße, den Gleisen, und setzten
dann dahinter wieder auf dem Asphalt auf. Daniel konnte gerade
noch sehen, wie sich Stefan und Onno, die Gesichter in Panik ver-
zerrt, an Marcel klammerten, um nicht herunterzufallen, bevor der
Zug ihm die Sicht nahm. Und als der letzte Waggon vorbei war, sah
er, dass sie hinter dem Bahnübergang einfach weitergefahren waren,

anstatt, wie vereinbart, anzuhalten. Auf der langen Hoogstraat, die sich schnurgerade bis weit in den Hammrich hineinzog, wurden sie immer kleiner, bis sie irgendwann ganz verschwanden und auch das Knattern der Motoren nicht mehr zu hören war. Daniel stand noch eine Weile reglos da und schaute ihnen nach, [...].«

Jan Brandt: Gegen die Welt. Roman. Köln: DuMont, 2011. S. 356–360. –
© 2011 DuMont Buchverlag, Köln.

Bekes, Peter (Hrsg.). Formen der Erzählung vom Beginn der Moderne bis zur Gegenwart. Bd. 1: Nietzsche bis Kafka. Stuttgart 1999. (Reclams Universal-Bibliothek. 15040.)

Brandt, Jan: Gegen die Welt. Roman. Köln 2011.

Conrad, Michael Georg (Hrsg.): Von Emile Zola bis Gerhart Hauptmann. Erinnerungen zur Geschichte der Moderne. Leipzig 1902.

Glaser, Hermann / Neudecker, Norbert: Die deutsche Eisenbahn. Bilder aus ihrer Geschichte. München 1984.

Hauptmann, Gerhart: Sämtliche Werke. Centenar-Ausgabe. Hrsg. von Hans-Egon Hass. Berlin [u.a.] 1962 ff.

Martini, Fritz: Gerhart Hauptmann. Bahnwärter Thiel. In: F.M.: Das Wagnis der Sprache, Interpretationen deutscher Prosa von Nietzsche bis Benn. Stuttgart 1954. S. 56–98.

– Nachwort. In: Gerhart Hauptmann: Bahnwärter Thiel. Durchges. Ausg. Stuttgart 2001 [u.ö.]. (Reclams Universal-Bibliothek. 6617.) S. 47–55.

Mayer, Theo Mayer (Hrsg.): Theorie des Naturalismus. Bibliogr. erg. Ausg. Stuttgart 1997 [u.ö.]. (Reclams Universal-Bibliothek. 9475.)

Neuhaus, Volker: Erläuterungen und Dokumente. Gerhart Hauptmann. »Bahnwärter Thiel«. Durchges. Ausg. Stuttgart 2002. (Reclams Universal-Bibliothek. 8125.)

Scheuer, Helmut: Gerhart Hauptmann. Bahnwärter Thiel. In: Interpretationen. Erzählungen und Novellen des 19. Jahrhunderts. Bd. 2. Erw. Ausg. Stuttgart 1997 [u.ö.]. (Reclams Universal-Bibliothek. 8414.) S. 371–426.

Inhalt